Réussir sa vie d'expat'

Groupe Eyrolles
61, bd Saint-Germain
75240 PARIS Cedex 05

www.editions-eyrolles.com

Chez le même éditeur :

Charles-Henri Dumon et Jean-Paul Vernès,
Le CV, la lettre, l'e-mail et l'entretien

ISBN : 978-2-212-56324-5

Magdalena Zilveti Chaland

Réussir sa vie d'expat'

S'épanouir à l'étranger en développant son intelligence nomade

EYROLLES

Remerciements

Je remercie la société Eutelmed pour leur confiance depuis de nombreuses années et pour leur engagement dans l'accompagnement psychologique des expatriés.

Je remercie aussi Christophe (Saratoga), Isabelle (Kansas), Adélaïde (Houston), Pauline (San Francisco) et Véronique (Shanghai) pour leur soutien, leur encouragement et leur relecture attentive qui m'ont été si précieux pendant l'élaboration de ce projet.

Merci également à tous les « expats » qui ont accepté de témoigner de leur expérience de vie à l'étranger.

Un énorme merci enfin à Laura et Manuel, mes enfants multiculturels, pour leur patience et leur enthousiasme.

Table des matières

Préface

L'expatriation, une question majeure du XXIe siècle

Qu'est-ce qu'un expatrié ? La racine du mot vient du grec *exo* – en dehors de – et *patrida* — le pays. Selon le dictionnaire Larousse, un expatrié est une personne qui a été expatriée ou qui s'est expatriée, c'est-à-dire « qui a quitté son pays ». Pour Wikipédia, un expatrié est un individu résidant dans un autre pays que le sien. Toute personne qui part de son pays pour travailler dans un autre devrait donc être qualifiée « d'expatriée ». Mais, en pratique, le terme est plutôt réservé aux Blancs qui partent travailler à l'étranger, dans le cadre d'une émigration choisie[1]. Souvent perçue comme temporaire, celle-ci peut s'avérer beaucoup plus longue que prévu. Ce sont précisément ces situations auxquelles s'intéresse Magdalena Zilveti Chaland. Elles ont pris une importance considérable ces dernières années, du fait des nouvelles générations qui font du départ dans un autre pays un élément de plus en plus déterminant de leur apprentissage professionnel, voire une condition indispensable à la découverte d'un emploi. Mais, en même temps, cette nouvelle situation n'a pas fait disparaître les plus anciennes dans lesquelles, c'est la nécessité qui pousse à s'expatrier, et à préférer, comme le dit un proverbe yiddish, « travailler à l'étranger plutôt que mourir chez soi ». En envisageant de multiples situations possibles d'expatriation, Magdalena Zilveti Chaland nous montre ici qu'au-delà de leurs variétés, toutes ont un

1. Les Africains travaillant en France, par exemple, ne sont pas considérés comme expatriés, mais comme « immigrés ». Le racisme sous-jacent à ce choix a pu être dénoncé (voir notamment Mawuna Koutonin, www.siliconafrica.com, 2 juin 2015).

point commun : permettre à ceux qui les vivent de questionner de fausses évidences et de s'engager dans un travail de subjectivation plus authentique.

Ce n'est pas par hasard que le premier mot du titre de sa première partie est « comprendre ». C'est cet effort permanent de compréhension du sens des situations nouvelles auxquelles sont confrontés les expatriés qui distingue le livre de Magdalena Zilveti Chaland. Elle n'invite pas seulement l'expatrié à changer de regard sur sa situation pour se découvrir différent et capable de choses nouvelles. Son originalité est de montrer que c'est dans la compréhension de l'ensemble des bouleversements associés à cette situation que réside son bénéfice premier, et que peuvent en résulter tous les bénéfices ultérieurs. Autrement dit, Magdalena Zilveti Chaland n'invite pas seulement les expatriés à se rendre attentifs aux nouvelles opportunités offertes par leur nouvelle condition. Elle montre que la situation d'expatriation constitue d'abord une formidable occasion de remettre en question ce que nous croyons savoir de l'identité, de l'intelligence, du nomadisme et finalement de l'altérité et de la différence. Et pour cela, elle invite à envisager l'expatriation comme le lieu d'un savoir spécifique au-delà de son caractère d'expérience toujours individuelle et subjective : savoir du sujet sur lui-même, ses limites et ses possibles, mais savoir aussi sur ce qui fonde l'homme et la société humaine en général, à commencer par l'identité et les liens.

Pour réussir cette rencontre avec son lecteur, Magdalena Zilveti Chaland s'appuie à la fois sur de nombreuses illustrations concrètes – qu'elle prend soin de mettre dans une typographie différente pour en simplifier la lecture – et une abondante littérature, aussi bien psychologique que sociologique, voire romanesque, faisant même quelques incursions du côté du cinéma. Et pour faciliter la compréhension de ce qu'elle avance, elle propose à la fin de chaque chapitre de petits exercices concrets par lesquels le lecteur est invité à trouver sa réponse personnelle à quelques-unes des questions qu'elle a posées. Elle appelle cela « On fait le point... »

J'ajoute encore que ce livre n'élude aucun des problèmes qui se posent aux sujets expatriés, comme la maladie des proches restés au pays (« Faut-il rentrer ? »), leur décès toujours possible, les arrangements et dérangements de couples, les ambitions et renoncements professionnels, les attentes et déceptions liées aux usages des technologies numériques, et même le mal du pays avec lequel l'expatrié n'en a jamais fini...

Espérons que ce véritable guide de l'expatriation réussie trouve sa place non seulement dans les bibliothèques nomades, mais aussi dans toutes celles de ceux qui s'en posent la question. D'autant plus que la question sera, n'en doutons pas, au cœur du XXIe siècle.

Serge Tisseron

Si l'expatriation était le conte du Petit Poucet...

Pour commencer, dans la décision des parents de perdre leurs enfants dans la forêt se trouve une allusion à la séparation familiale, qui peut être vécue comme une trahison et même un abandon. Pour grandir, il faut partir. La réalisation personnelle ou professionnelle se situe ailleurs.

Malgré la désillusion, le besoin de garder contact s'effectue grâce à ces petits cailloux disséminés qui permettent de maintenir la relation. Procédé fragile néanmoins qui peut être vain quand le lien est aussi périssable que des petits bouts de pain.

Dans l'ailleurs, dans une autre culture, représentée par l'ogre, se trouve alors la puissance, l'opulence, mais aussi le danger. L'ogre représente cette force dangereuse, robuste et captivante, qu'il va falloir défier avec ruse et ingéniosité pour ne pas « se faire manger ». C'est cette impression qui peut apparaître pour le migrant qui arrive dans un pays où il affronte une culture différente. Malgré la peur de l'inconnu et des nombreux risques, c'est à travers des ressources personnelles que les solutions émergent.

Les bottes de sept lieues sont alors la découverte des possibilités magiques offertes par ce nouveau monde. En s'y adaptant, comme le Petit Poucet chaussant ces bottes magiques soudainement enfin à sa taille, les déplacements sont facilités, la réussite et la fortune obtenues.

Ainsi, du départ difficile du foyer, l'enfant devenu grand acquiert dans l'ailleurs la liberté et le succès qui changeront toute sa vie, mais aussi celle de sa descendance, puisque le Petit Poucet épouse la fille du roi, ce qui s'apparente à un mariage interculturel.

Introduction

Partir s'installer ailleurs... un rêve pour de nombreuses personnes, un acte de courage pour d'autres. Pour celui qui part, motivé par un projet professionnel, éducatif ou personnel, c'est surtout un défi important qui l'attend. Il s'agit de s'adapter rapidement et au mieux au nouveau pays, aux nouvelles coutumes et à la nouvelle langue. L'aspect pratique accapare les premiers instants. La nécessité de trouver ses repères professionnels avec une obligation de réussite est également une pression omniprésente. Les difficultés concrètes liées au pays et aux conditions matérielles de vie sont les aspects les plus évidents à considérer. Face à ces difficultés, tout le monde ne réagit pas de la même manière. Certaines personnes s'intègrent plus aisément que d'autres, quel que soit le pays concerné. La mobilité internationale est une réalité en plein essor qui ne prend toutefois pas toujours en compte les particularités de chacun. Dans un monde marqué par la globalisation, l'expatriation est souvent devenue une étape obligatoire dans un parcours d'étudiant ou dans une carrière professionnelle. Le terme d'expatrié est pris dans ce sens de quitter sa patrie pour s'installer ailleurs, indépendamment du statut réel ou juridique. Qu'ils soient détachés d'une entreprise, migrants, étudiants, retraités, les Français de l'étranger partent tous dans l'objectif d'obtenir un bénéfice dans cet ailleurs. L'intérêt peut être professionnel, économique, éducatif ou même un choix de vie. Le départ est relativement volontaire et stratégique.

Après plusieurs années à travailler auprès des Français de l'étranger, je constate que partir est souvent un projet qui n'est pas pleinement préparé mentalement. Dans un premier temps, ce sont les questions de « quoi » et de « comment » qui nous accaparent. Monopolisé par ce qu'il faut faire, l'être est étouffé. On est pris dans les actions et dans l'urgence, il s'agit de s'installer et de trouver sa place dans un nouveau poste, dans un nouvel environnent ou dans une nouvelle école. Ensuite, les questions du « qui » et du « pourquoi » surgissent, trahissant des questions plus identitaires. Qui suis-je maintenant ? Quel est mon pays ? Où est mon chez-moi ?

Certains ne savent plus quels sont leur rôle et leur place dans une société où ils se sentent en escale. Comment maintenir le lien avec la famille quand on est loin ? Comment avoir une place professionnelle reconnue quand il faut sans arrêt tout recommencer ? Comment se sentir chez soi quand on vit dans un ailleurs ? Comment maintenir une idée de continuité quand tout change ? Pris dans de nombreux conflits internes, certains s'épuisent nerveusement. Car partir s'installer à l'étranger n'est pas seulement un déplacement géographique, c'est surtout une remise en question de soi. L'expatriation est non seulement la réalisation d'un projet de vie important, mais aussi l'implication totale de celui qui porte ce projet. C'est la découverte d'un nouveau mode de vie qui va éveiller des doutes, des peurs et aussi exiger de grandes capacités d'ajustement. Indépendamment du lieu d'affectation, l'expatrié doit considérer sa disposition personnelle à la mobilité internationale. S'il préfère la stabilité d'un cadre de vie familier, les changements peuvent provoquer une forte anxiété en lui et le vécu de l'expatriation sera alors plus ardu. En revanche, lorsque la nouveauté et l'imprévu sont des facteurs stimulants, s'implanter dans un autre pays apparaît comme un projet des plus excitants. Dans tous les cas, c'est une vie dans un « entre-deux » qui attend l'expatrié et sa famille. À la fois ni tout à fait ici ni tout à fait là-bas, le migrant se retrouve souvent partagé entre plusieurs pays. Se sentir proche de ceux qui sont loin crée des conflits émotionnels parfois difficiles à gérer. La question du départ ou du retour est souvent une éventualité omniprésente qui rend l'avenir et une projection sur le long terme plus complexes. Le désarroi devant les incompréhensions, les nouveautés et le besoin de trouver ses marques assez vite ébranlent et déstabilisent. Un chamboulement intérieur accompagne tout ce processus. Les défis auxquels le migrant doit faire face proviennent ainsi de nombreux paradoxes : comment rester personnellement stable dans un environnement instable ? Comment évoluer sans se transformer ? Comment trouver une sécurité interne pour faire face à l'insécurité de l'inconnu ? Comment allier une attitude à la fois progressiste où j'explore, je m'ouvre et j'évolue, tout en maintenant une attitude plus conservatrice où je reste fidèle à moi-même, où je renforce ce qui est en moi et j'exprime ma différence comme une force ?

La problématique à laquelle l'expatrié doit faire face se résume ainsi : « Comment réussir à trouver son chez-soi en soi où que l'on soit. » C'est à cette problématique-là que l'intelligence nomade tente d'apporter une réponse.

L'objet de ce livre est ainsi de comprendre qu'à côté des nombreux bénéfices provenant d'une période de vie à l'étranger, le voyage peut aussi être l'objet de turbulences internes. Pour que l'expérience de l'expatriation soit une réussite, quelle que soit sa durée, elle doit être perçue non pas comme une cassure ou une parenthèse, mais bel et bien comme une opportunité d'évolution, une étape à intégrer riche en enseignements et en expériences. Au-delà des acquis évidents comme un tremplin pour une carrière, l'apprentissage de nouvelles coutumes ou de nouvelles langues, l'expatrié apprend aussi beaucoup sur lui. Il développe son adaptabilité, sa tolérance et teste sa capacité à relativiser et à penser autrement. C'est une identité nomade et mosaïque qui se développe.

Ce livre présente à la fois des explications théoriques, des méthodes pratiques, mais également de nombreux témoignages de ceux partis s'installer à l'étranger. Il s'adresse aux migrants et aux expatriés, futurs ou présents, partant seuls, en couple ou en famille, avec l'aide d'une entreprise, d'une école ou indépendamment. Il met des mots aux maux issus de la mobilité. Il s'adresse également aux proches des expatriés pour leur offrir des pistes de réflexion et de compréhension sur ce qui se passe chez celui qui s'installe dans un ailleurs. Il s'adresse enfin à tous ceux qui veulent saisir la complexité psychologique d'une vie internationale, notamment les professionnels d'entreprises. Que ce soit en préparation d'un futur déplacement, ou bien pour comprendre les modalités inhérentes à l'expérience personnelle de la mobilité internationale, je souhaite que cet ouvrage soit un éclairage pour un voyage au bout du compte très intérieur.

Première partie

Comprendre ce qui se passe en soi lorsque l'on part vivre ailleurs

Quand on évoque l'idée d'un départ à l'étranger, on imagine immédiatement de grands changements. Il est question de modifications sur le plan professionnel, de l'habitat, des écoles, des habitudes alimentaires, de la culture, des traditions, du climat ou même des loisirs. S'installer à l'étranger implique de s'habituer à de nouvelles normes et de nouvelles traditions, mais aussi réussir à s'adapter à un nouveau style de vie. Quand tout autour de soi évolue, change et se transforme, une impression de perdre pied peut apparaître. L'environnement extérieur, le cadre de vie, la culture d'immersion, les autres ou bien le monde professionnel ne sont toutefois pas les seuls objets de transformation. Le plus important et le plus insidieux se situe à l'intérieur de soi. Avec le temps, le sentiment d'étrangeté devient familiarité, l'ailleurs se mue en un chez-soi. Un processus interne et des stratégies personnelles se mettent en place. Ce sont les transformations internes et plus subtiles de la façon d'appréhender le quotidien dans cet ailleurs qui vont influencer de façon importante le vécu à l'étranger. Dans le meilleur des cas, l'expérience de vie à l'étranger est intégrée et assimilée comme une pièce du puzzle interne qui fait dorénavant pleinement partie de soi.

Ce qui permet à l'individu une telle malléabilité dans son être provient d'un processus naturel de changement présent tout au long de l'existence. L'individu apprend constamment. Il prend certains risques, ouvre des portes inexplorées, découvre et acquiert de nouvelles expériences. L'être humain évolue en permanence. C'est ce cheminement évolutif qui façonne l'identité et permet à chacun de progresser, de traverser des périodes de transition et de résister aux pressions provenant de l'inconnu. Quand un événement important comme une expatriation crée une turbulence majeure dans un cheminement naturel, il peut y avoir un choc. L'événement majeur réclame une attention particulière et une énergie importante pour être intégré comme une étape de vie aux conséquences multiples.

La portée d'une expérience d'expatriation dans un parcours de vie peut s'avérer décisive sur toute l'évolution individuelle, mais aussi sur l'ensemble du groupe familial, et même sur les générations futures. En intégrant une part culturelle du pays d'accueil, tous les repères des individus se modifient. Une autre langue et de nouvelles coutumes peuvent être adoptées dans la vie familiale. Des interrogations à un niveau international s'immiscent sur les projets d'avenir. L'identité et la nationalité sont sources de remises en question. Les changements pénètrent l'existence du migrant à la fois en profondeur et en durée. Les épreuves auxquelles il faut faire face pour s'acclimater impactent grandement l'individu. D'une part, des ressources intérieures non soupçonnées peuvent être sollicitées. Le potentiel personnel semble s'élargir. Quelque chose de l'ordre du dépassement de soi prend forme, ce qui alimente satisfaction et estime de soi. D'autre part, des aspects de soi reniés ou rejetés peuvent refaire surface, ce qui peut créer un état de malaise plus ou moins temporaire. Certains peuvent s'enfermer dans une situation de repli empreinte de craintes et de doutes. Les conjointes d'expatriés, par exemple, qui subissent de façon passive une expatriation vécue comme imposée et non désirée peuvent se retrouver dans cette attitude d'enfermement. Elles mettent leur vie entre parenthèses le temps de la mutation de leur mari, s'oubliant elles-mêmes dans une sorte de résignation non épanouissante, en attendant de pouvoir reprendre leur vie en main dès leur retour.

L'expatrié est en fait au cœur d'un mouvement complexe. Il évolue en progression et en découvertes à la fois internes et externes à lui. C'est cette capacité à se développer dans ces différentes directions qui va l'aider à s'adapter. L'intelligence nomade correspond à l'acceptation de tous ces changements de façon harmonieuse pour se sentir en connexion à la fois avec cet environnement nouveau et avec un soi authentique. C'est saisir l'opportunité de s'épanouir dans un nouveau cadre de vie tout en s'enrichissant des imprévus et des différences. Plus tard, certains se diront alors n'être plus ni d'ici ni de là-bas ; d'autres, au contraire, se sentiront de partout en tant que citoyens du monde. Quel que soit le lieu de vie, évoluer dans la cohésion et l'acceptation de soi va permettre à tout un chacun de se réaliser pleinement à l'étranger.

Chapitre 1

Comment change-t-on en permanence ?

« Pour me réaliser, il va falloir porter mes potentialités à leur complet développement. Je m'épanouirai à la condition de faire fructifier ce capital intérieur, de faire mûrir ces possibilités, d'exploiter ces ressources. Je dois faire croître ce qui est en germe dans mon moi, actualiser ce qui est virtuel. »

Michel Lacroix[1]

Des individus toujours en évolution

L'être humain passe de l'état originel de l'enfance à celui de l'adulte, puis à celui de la personne âgée, par une série d'évolutions graduelles. Dans ce cheminement, il s'agit de renoncer à certains acquis pour en obtenir de nouveaux. Atteindre une étape différente est le fruit d'efforts. L'enfant abandonne ainsi temporairement sa maîtrise du quatre pattes, tout en affrontant sa peur de tomber, pour réussir à se mettre debout. Pour se faire, il doit se relever chaque fois et recommencer malgré les appréhensions et les douleurs. C'est l'enjeu d'une plus grande autonomie qui est source de motivation. Les différentes étapes de la vie entraînent des pertes et des gains. Perte du

1. Michel Lacroix, *Se réaliser*, Robert Laffont, 2009.

familier, du connu et du fiable. Gain du nouveau, du différent et du possible. Avec dextérité et équilibre, l'individu se développe dans une optique de progression de soi tout en s'adaptant aux exigences externes et relationnelles.

Nous pouvons mettre en avant cinq grandes étapes majeures et naturelles de développement dans l'évolution humaine : l'enfance, l'adolescence, la trentaine, le milieu de vie et la retraite.

Une enfance pour se bâtir des fondations

La prime enfance est le socle fondateur identitaire sur lequel les évolutions futures vont s'appuyer. Elle est marquée par un important mouvement dynamique. Au départ, incapable de s'alimenter seul, de se mouvoir ou de s'exprimer avec des mots, le bébé va se développer par apprentissage jusqu'à devenir plus autonome et indépendant. Son individualité passe à la fois par une prise de conscience de sa singularité, par l'exploration de l'environnement et par le perfectionnement de ses modes d'expression. Au travers de différentes techniques d'évolution comme l'observation, l'imitation, l'apprentissage ou bien les interactions sociales, l'enfant apprend à la fois à se différencier des autres, mais aussi à s'adapter à ce qui est attendu par les autres. Les règles de socialisation sont intégrées. C'est aussi à travers un ensemble d'identification, aux parents, aux modèles, aux tuteurs, aux copains, que la personnalité de l'enfant se dessine. L'influence provenant du monde environnant est alors décisive, certains aspects de soi sont encouragés ou bien à l'inverse reprochés et mis sous silence.

Simultanément, le poids émotionnel des expériences marque les individus. Les blessures affectives provenant de la petite enfance sont déterminantes dans la façon de gérer les événements futurs de l'âge adulte. Ainsi, la gestion des séparations avec la mère est un élément déterminant pour fonder l'aptitude à appréhender les séparations ultérieures.

L'âge de 7 ans est également un âge particulièrement sensible lors d'une expatriation. C'est le moment où l'enfant quitte un cocon familial surinvesti pour explorer avec plus d'intérêt son environnement social. Or, si, à cet âge-là, le cadre de vie communautaire change, l'enfant est déstabilisé, ce qui peut le pousser vers une régression et vers des sentiments de frustration importants s'exprimant par des reproches ou un repli sur soi. Il est important de soutenir l'enfant de cet âge et de l'encourager avec empathie à explorer de nouvelles relations sociales, à travers des activités en petit comité notamment. **Les pertes vécues au cours de l'enfance fondent en partie la capacité de gérer celles qui auront immanquablement lieu plus tard comme lors d'une expatriation.**

Une adolescence pour se préparer à l'âge adulte

L'adolescence est une période sensible pour le futur adulte en devenir. C'est par un renoncement majeur, celui du monde de l'enfance, que l'adolescent entre dans une étape décisive de maturité et de responsabilité. C'est une période de grande confusion. Elle s'exprime à un niveau temporel (difficulté de se reconnaître dans l'enfant du passé et de se projeter comme un adulte en devenir), sexuel (interrogations sur la nature et sur la force des désirs), identitaire (inquiétudes liées à la personnalité, à l'apparence physique et à l'acceptation sociale) et réglementaire (soumission à l'autorité et aux règles remise en question).

Un profond remaniement au niveau tant physique, psychique que physiologique s'opère. La puberté se caractérise par des transformations du corps importantes et une montée hormonale source de réactions incontrôlées. Soucieux de ces changements, l'adolescent se compare à ses pairs pour être rassuré et pour s'assurer qu'il correspond bien à la norme. Dans une quête identitaire majeure, il se détache des modèles parentaux pour se rapprocher de modèles d'identification plus spécifiques, comme le groupe d'amis, les camarades de sport, des groupes de musique ou des acteurs connus. Les identifications de l'enfance sont échangées pour d'autres provenant d'un monde extérieur plus large : les groupes sociaux, amicaux, ou éducatifs. L'adolescent construit alors ce qui constitue son noyau socio-relationnel familier auquel il peut se référer. Avec ce désir d'approfondissement des relations sociales, l'expatriation ayant lieu à cet âge-là est souvent difficile à vivre, car elle requiert la nécessité de se reconstruire rapidement une communauté. Des fissures identitaires nées d'une crise d'adolescence laborieuse peuvent donner lieu à des doutes, à des angoisses et à une fragilité future. **Une difficulté pour s'intégrer dans un groupe à l'âge adulte peut être le résultat d'une sociabilité complexe à l'adolescence.**

Un âge adulte pour se réaliser

La trentaine est l'âge de la poursuite d'un « idéal de soi ». C'est la vision de ce que l'on souhaite être qui devient moteur. Les priorités de vie concernent principalement les sphères professionnelles et familiales au travers de choix et de prises de décision déterminantes. L'axe majeur durant la première partie de l'âge adulte est de construire une famille, une position sociale, un héritage économique, une histoire personnelle. Avec une identité plus affirmée, le jeune adulte est dans une démarche d'engagement.

L'énergie est dirigée quasi exclusivement vers le monde externe. Au travail, il s'agit de se montrer performant. On renforce ses compétences et on assoit sa place et son rôle professionnel. Il s'agit de gagner en compétence et en crédibilité. La relation intime est aussi tournée vers la quête extérieure d'un partenaire, si possible dans l'objectif de construire un couple pérenne et une famille. Le désir de maternité est davantage présent. Pour les femmes engagées professionnellement, la question se pose alors de réussir à concilier travail et famille en se montrant absolument performante sur tous les tableaux. C'est l'apogée de la « *wonder woman* », pleinement femme, pleinement mère, pleinement professionnelle. L'ambition est de pouvoir réussir à mener tout de front, avec en contrepartie le risque de se retrouver dans un état de frustration et de découragement face à l'ampleur de la tâche. Pour tous, hommes et femmes, c'est le temps du plein effort, quitte à s'épuiser.

À la fois stimulante et exténuante, prise entre illusion et désillusion, la réalité apparaît parfois plus fade. L'installation d'une routine aliénante (le fameux « métro, boulot, dodo ») ou décevante (vie professionnelle ou personnelle qui n'atteint pas les objectifs ambitieux) peut être la raison qui incite à un départ à l'étranger. **La recherche d'un épanouissement tant personnel que professionnel motive certains à partir vers un ailleurs parfois idéalisé.**

Un milieu de vie marqué par des remises en question

Lorsque l'individu atteint les 40-50 ans, il se situe au milieu de la courbe d'espérance de vie. Il s'agit d'un pic, souvent symbolisé par le terme de « crise de la quarantaine ». C'est une période charnière, un carrefour anxiogène, entre d'un côté le monde de la jeunesse, avec les enfants devenus grands et davantage indépendants, et de l'autre le monde de la vieillesse, avec des parents âgés qui deviennent quant à eux plus dépendants. La relation faite de soins et de soutien naguère consacrée aux descendants se tourne dorénavant vers les ascendants. Le milieu de vie s'articule entre le démarrage de la période adulte des enfants et l'approche de la fin de vie des parents.

Le quadragénaire se retrouve dans une position dite « de sandwich » où les rapports relationnels d'antan sont chamboulés, voire inversés. Face à des parents sur le déclin, il s'agit de s'inventer une nouvelle position, parfois autour de l'idée de l'assistance. Face aux enfants devenus majeurs, c'est le « syndrome du nid vide » qui se profile. Les enfants partent construire ailleurs leur propre destinée et éventuellement former leur propre cellule familiale. La femme perd son statut de procréatrice en s'approchant de la ménopause et passe le relai de la fertilité à sa fille.

On découvre aussi les premiers signes physiques de la vieillesse : rides, cheveux blancs, corps qui se fatigue, vision qui se trouble, soucis de santé, etc. Le corps, qui était un atout de force et de séduction de la jeunesse, ne semble plus avoir le même potentiel et devient davantage vecteur de déclin. Une période de doute sur les certitudes, sur les choix et sur les engagements passés fait surface. Une relecture du parcours de vie est réalisée où sont sous-pesées les aspirations et les réalisations. C'est le temps du bilan personnel. Alors que le monde externe avait été surinvesti, le monde interne réclame à son tour de l'attention. La « crise de la quarantaine » peut devenir une période de profonde remise en question. Au niveau du couple, les tensions et les insatisfactions cumulées peuvent dégénérer jusqu'au point de rupture. Pour certains, la relation conjugale évolue en complicité et en sérénité. Le couple perdure et se renforce. Pour d'autres, au contraire, c'est la crise. Une relation externe considérée comme plus passionnante est recherchée afin de renouer avec une idée de l'existence plus exaltante, ternie par la routine et le quotidien. La tentation est plus importante d'aller explorer un idéal fantasmé, notamment chez certains expatriés installés dans des pays considérés comme exotiques.

Au niveau professionnel, les ambitions peuvent aussi être revues. Des rêves et des talents qui avaient été mis de côté peuvent être réinvestis.

C'est ce qui apparaît lors de certaines reconversions professionnelles ou certaines reprises d'études. On peut vouloir à ce moment-là lâcher une occupation professionnelle qui avait été encouragée par l'entourage, au profit d'une nouvelle activité issue d'un désir plus personnel. **C'est l'envie de changements importants, de renouveau, de prise de risques et d'aventures qui pousse certains en milieu de vie à « tenter leur chance » à l'étranger.**

Une vieillesse pour savourer l'instant présent

Le vieillissement est un processus progressif et variable en fonction de chacun. À un même âge donné, les conditions physiques et psychologiques varient considérablement d'un individu à l'autre. Il peut exister une disparité entre l'âge chronologique, l'âge social, l'âge psychologique et l'âge biologique. « Partir à la retraite » peut traduire l'idée de « faire une retraite ». Une sorte d'intégration de tout ce que l'on a vécu se met en place pour donner un sens à sa vie. Les forces ne sont plus physiques, mais puisées en soi à travers l'acquisition d'une certaine sagesse et, au mieux, d'une sérénité.

La question de la retraite est d'ailleurs une problématique importante de cette tranche de vie. L'individu se retrouve avec un nouveau statut social sous un terme générique qui tait ses compétences et son expérience. Être retraité, c'est être désigné comme non actif, quelle que soit la carrière, ce qui peut laisser penser à « inactif », ce qui n'est pas toujours le cas. Au contraire, certains vont pouvoir investir d'autres occupations. Être à la retraite ne signifie pas être « en retrait ». Le quotidien change certes de rythme, mais de nouveaux projets font jour et des sollicitations familiales peuvent être plus nombreuses. Il peut s'agir à la fois d'être disponible pour les autres, notamment pour la garde des petits-enfants, ou dans le monde professionnel pour transmettre un savoir technique à des apprentis, mais surtout être plus disponible pour soi. En général, on peut dire que le retraité vit dans l'instant présent, à la différence de la personne active qui suit un cheminement où il se projette dans l'avenir. Il est question de profiter du temps qui reste. C'est un temps de réflexion, de calme après le tumulte de l'âge adulte. Un temps d'introspection, voire de mysticisme peut apparaître.

Les notions de perte et de deuil sont aussi très présentes. C'est une période de déclin des facultés psychiques et physiques. Peu à peu, la dégénérescence s'installe. Le corps est affaibli, les troubles de santé se multiplient. La mort devient inéluctable. Bien souvent, c'est davantage le processus de dégradation fait éventuellement de maladies, de souffrances et de solitude qui inquiète. La peur de l'au-delà peut aussi être présente, ce qui pousse certaines personnes à chercher des réponses plus spirituelles. Certains présentent un « syndrome de glissement » graduel avec désintérêt, inactivité croissante et renoncement général comme une abdication face à la mort. D'autres, au contraire, sont pris d'une envie d'en profiter au maximum. Les projets, les sorties et les voyages s'enchaînent, comme un défi au temps. **Un départ en expatriation est parfois envisagé à l'âge de la retraite comme une chance de concrétiser un rêve ou de s'installer dans un environnement plus favorable. C'est parfois aussi imposé par des impératifs financiers.**

Le cycle de la vie est ainsi une alternance de mouvements dynamiques. À travers différentes stratégies, différentes représentations de l'existence et différentes expériences emmagasinées depuis l'enfance, l'adolescent se prépare à affronter le monde. Une fois adulte, il s'investit pleinement dans ses projets. Puis, en milieu de vie, des conflits intérieurs et des remises en question émergent, modifiant parfois les priorités, jusqu'à la quête d'une sérénité à un âge mûr. En fonction de l'âge, l'expatriation n'aura pas la même résonance ni le même objectif.

Des identités qui se construisent

Les étapes de vie sont communes à tous, leurs vécus et leur impact sont en revanche uniques. C'est à travers le prisme de la personnalité et des relations avec l'environnement que l'évolution individuelle se fait. La personne traverse son existence en dessinant sa propre histoire qui est au cœur de son identité.

La formation d'une identité non statique

L'identité est une notion compliquée, car elle désigne quelque chose d'impalpable, d'indéfinissable, de mouvant et de souvent incertain. Dès la naissance, l'enfant possède des informations qui lui sont propres provenant d'une combinaison génétique originale héritée de ses parents, mais aussi de particularités personnelles. L'identité se développe également à travers des identifications, c'est-à-dire l'intériorisation de modèles et de représentations, comme les parents ou les pairs. L'identité provient de facteurs à la fois individuels et de facteurs sociaux, de données innées et d'autres qui sont acquises, fruit des interactions sociales et des apprentissages. C'est par une interaction constante entre les données internes de l'individu et les exigences de son milieu que la personnalité se construit. C'est une notion dynamique.

Erik Erikson[1] a mené une importante réflexion sur la psychologie de l'identité. Selon lui, à travers différentes étapes de développement psychosocial, l'individu est pris dans un processus de changement et de croissance. Sa personnalité se modèle en fonction de la manière dont il vit ces périodes de crise de son existence.

1. Erik Erikson, *Adolescence et crise. La quête de l'identité*, Flammarion, 1993.

Les huit stades de développement d'Erikson

Le premier (0 à 18 mois) est celui de la confiance. Par les soins procurés par ses parents, l'enfant apprend à croire en lui et aux autres.

Le deuxième (18 mois à 3 ans) est celui de l'autonomie. C'est une période d'exploration où l'enfant part à la découverte de son environnement. Encouragé, il développe son autonomie et une confiance dans sa capacité à affronter les difficultés.

Le troisième (3 à 6 ans) est celui de l'intuition. L'enfant cherche à maîtriser son environnement. Il teste ses limites et prend parfois des risques. Soutenu, il prend certaines initiatives.

Le quatrième (6 à 12 ans) est celui de la créativité. Grâce à l'école, l'enfant devient plus indépendant. La réussite scolaire permet d'obtenir une reconnaissance, ce qui alimente sa persévérance.

Au cinquième (12 à 20 ans), l'adolescent développe son identité, à la fois sexuelle mais aussi les différents rôles sociaux qu'il souhaite revêtir. Il s'interroge sur ce qu'il souhaite être et ce qu'il veut faire. C'est un moment crucial dans le développement psychosocial de la personne.

Le sixième (20 à 34 ans) concerne l'intimité. Les relations sociales sont pleinement investies, jusqu'à un niveau de confiance qui permet un rapport d'intimité avec des proches.

Le septième (35 à 65 ans) est celui de la générosité. C'est la période adulte où l'individu est productif et participe activement à la vie de la société.

Le huitième (au-delà de 65 ans) est celui de l'intégrité. L'identité est entièrement constituée. C'est une période d'introspection et de relecture du parcours de vie.

Pour Erikson, l'identité n'existe que par un sentiment subjectif d'identité. L'individu se reconnaît lui-même comme une personne différente possédant un ensemble de caractéristiques uniques et discernables par les autres. Malgré les changements et les évolutions, l'individu reste au fond le même. La base identitaire profonde est donc immuable. Cela rejoint le sentiment de cohérence, d'unité et d'intégrité qui anime chaque personne. En dépit de ce noyau identitaire invariable, l'identité reste souple et dynamique pour s'adapter aux circonstances de la vie. Elle peut également être multifacette et correspondre à différents aspects du même individu. **On distingue une « identité propre », qui est la façon dont l'individu se perçoit, une « identité idéale », qui est l'image que l'individu voudrait donner aux autres, ou une « identité sociale », qui répond aux étiquettes sociales par lesquelles l'individu se présente aux autres.**

Le terme d'identité est aussi parfois utilisé pour désigner des zones individuelles encore plus vastes. Une personne posséderait une multitude d'identités : une identité professionnelle, une identité familiale, une identité culturelle, une identité virtuelle, etc. Le terme d'identité renvoie alors à celui de rôle et de personnage social. L'identité serait alors la fonction que nous revêtons dans un contexte particulier. Des écarts peuvent exister entre ces différentes identités, ce qui peut créer des conflits internes difficiles à gérer. Si l'on prend l'exemple du conjoint d'expatrié, il peut ressentir ce type d'écarts d'identité lorsque son image sociale entre en conflit avec son identité idéale. Être « femme d'expat » renvoie souvent à des clichés et des connotations peu valorisantes de femme oisive et dépensière que certaines cherchent à combattre avec véhémence. Elles ne se retrouvent pas dans ce cliché et souffrent de l'image qu'elles renvoient. Une dissonance identitaire provoque alors des blessures narcissiques.

Parfois, l'identité sociale pousse les individus à rechercher leurs pairs, en intégrant certains groupes auxquels ils se sentent appartenir, comme des communautés ethniques expatriées. Retrouver les autres membres culturellement semblables rassure grâce au sentiment de lien, de valeurs communes et même de fraternité. L'identité sociale est renforcée et apparaît comme une bouée de sauvetage.

Comprendre le processus d'individuation

Carl Jung propose pour sa part le concept d'individuation pour expliquer comment un individu développe sa personnalité et se libère des normes collectives. Il s'agit d'un processus qui lui permet d'intégrer au mieux ce qu'il est réellement. **L'individuation représente la réalisation de soi, dans ce qu'il y a de plus profond, intime et personnel, incluant aussi les parts d'ombre et de refoulé.** Ce n'est pas un état stable ou un résultat objectif, mais un mouvement évolutif en lien avec le processus de développement personnel.

Dans la première partie de sa vie, l'individu est tellement monopolisé par l'affirmation de soi qu'il cherche avant tout à s'adapter à son environnement et aux attentes extérieures. Que ce soit au travers de l'éducation parentale, scolaire, amicale ou affective, l'individu recherche une reconnaissance sociale. Le besoin d'appréciation, d'acceptation et d'amour est tel que l'individu cède au désir de se substituer à cette facette de soi et de ce qu'il croit devoir être, au détriment de son être authentique. Une partie de soi est surinvestie, celle qui est valorisée par les autres et par la société, alors qu'une autre partie se cache. Il y a donc une partie visible et perceptible qui compose le personnage social affiché, et une part intime et inavouable qui s'exprime en émotions, en sentiments et en sensations. L'identité se retrouve ainsi tronquée sans que l'individu en ait véritablement conscience. Une part d'ombre, c'est-à-dire inconsciente, reste enfouie au plus profond de soi et peut donner lieu ensuite à un état de mal-être et de doute.

Nous retrouvons souvent cette situation avec les conjoints d'expatriés. Pris dans des rôles d'accompagnants, ils peuvent avoir le sentiment d'avoir sacrifié une partie d'eux-mêmes, que ce soit dans la sphère familiale, professionnelle ou sociale. Certaines mères se mettent volontairement en retrait au profit du bien-être familial. Elles se vouent exclusivement à la vie familiale, scolaire et extrascolaire.

Aux États-Unis, on les nomme les « *taxi-mom* » car elles passent une grande partie de leur journée à conduire leurs enfants à leurs différentes activités. Dans cette image de mères dévouées, elles retirent une certaine reconnaissance sociale source de valorisation. Toutefois, à un moment, cela peut finir par devenir insuffisant... En dehors du plaisir de partager du temps avec leurs enfants, d'offrir une image attendue socialement, et de satisfaire une partie de leurs valeurs et de leurs besoins, il peut aussi y avoir une frustration latente liée à d'autres aspirations plus personnelles. Un sentiment diffus de perdition peut parfois naître.

Une de mes clientes était venue me voir car elle avait l'impression que plus rien n'allait dernièrement, et qu'elle n'y arrivait plus. Mère de trois enfants, elle avait le sentiment d'avoir consacré sa vie à être utile aux autres. Elle avait essayé d'être « une bonne fille » pour ses parents « sans jamais leur créer d'histoires », puis elle avait épousé assez jeune son mari, qu'elle avait appuyé dans son essor professionnel et dans l'expatriation, prenant en charge toutes les affaires domestiques. Maintenant que ses trois enfants étaient à l'école et qu'elle pouvait enfin avoir du temps pour elle, elle ne trouvait que du vide et un profond sentiment d'angoisse. Elle se sentait devenue émotionnellement très vulnérable et elle n'attendait plus que la fin d'école pour retrouver ses enfants qui allaient remplir son vide. Être seule, face au silence, à la solitude, à un espace de possibilités pour elle, était insupportable. Elle ne s'était juste jamais retrouvée face à elle-même, à écouter ses envies et ses désirs, ce qu'elle jugeait « terriblement égoïste ». Sa vie était vouée à ce qui relevait de son sens du devoir, « ce qu'elle devait faire », et à un certain sens du sacrifice.

Le processus d'individuation permet de prendre pleinement conscience de son réel potentiel. L'individu ne se résume pas uniquement à ce personnage formaté et validé par les autres. Mais cette découverte de soi peut aussi inquiéter. Nous ne sommes peut-être pas ce que nous avons toujours cru être. Non familière, il est nécessaire d'apprivoiser cette part d'ombre, de l'accepter et de l'intégrer. Par son assimilation, l'individu découvre alors d'autres possibilités. La part d'ombre n'est toutefois pas la seule à être refoulée. Parfois, certaines qualités personnelles non valorisées pendant l'enfance peuvent également ne pas être reconnues. Le développement de la personne à travers son « individuation » est une chasse au trésor enfouie dans l'inconscient, avec la découverte d'un soi complet incluant des qualités plus importantes que supposées, mais aussi des imperfections, des aspects rejetés ou considérés comme déplacés.

Le processus d'individuation

Selon Christophe Fauré[1] le processus d'individuation s'effectue en cinq étapes :

- une phase d'accommodation où l'individu essaye de correspondre au personnage qu'il se forge ;
- une prise de conscience où un décalage existe entre ce que l'individu perçoit de lui et son personnage social ;
- le face-à-face où des doutes et des interrogations apparaissent, avec ce qui était refoulé refaisant surface ;
- un début d'intégration où l'individu commence à réaliser et à accepter ce qu'il a toujours refoulé ;
- puis, l'individuation où l'individu est dorénavant complet, entier et authentique.

1. Christophe Fauré, *Maintenant ou jamais !*, Albin Michel, 2011.

Accepter cette partie sombre implique de sacrifier son « idéal de soi » au profit de l'authenticité. C'est aussi se découvrir dans sa complexité, sa richesse et son intégrité.

Mieux se connaître et s'accepter

J'utilise la typologie de Jung et le MBTI/CCTI (Myers-Briggs Type Indicator/ Cailloux-Cauvin Type Indicator[1]) pour faire découvrir à mes clients les mécanismes de fonctionnement de leur personnalité en fonction de quatre principales interrogations.

- ✓ D'où provient votre énergie ? Plutôt du monde extérieur (Extraversion) ou plutôt de vous (Introversion).
- ✓ Comment puisez-vous vos informations ? Plutôt de faits réels (Sensations) ou plutôt d'impressions (Intuition).
- ✓ Comment prenez-vous vos décisions ? Plutôt de façon objective (Pensées) ou plutôt à partir de ressentis (Sentiments).
- ✓ Comment agissez-vous ? Plutôt de façon méthodique (Organisation) ou plutôt de façon improvisée (Adaptabilité).

Leur type de profil en lien avec leurs habitudes comportementales et leurs préférences naturelles se dégage alors, ce qui leur permet de mieux se comprendre et s'accepter dans une identité plus authentique.

Des intelligences multiples et diverses

Une fois que nous avons décrit les phases d'évolution de l'individu, puis sa formation identitaire, nous pouvons maintenant nous intéresser à sa compétence intellectuelle. En effet, l'être humain est doué de réflexion et de pensées.

1. Pierre Cauvin et Geneviève Cailloux, *Les Types de personnalité*, ESF éditeur, 1994.

Le terme d'intelligence provient du latin « *intellegentsia* » qui signifie « la faculté de comprendre ». Traditionnellement, l'intelligence désigne la capacité cognitive permettant de traiter l'information grâce à un ensemble de facultés mentales mises en œuvre. Cette notion complexe a été l'enjeu de nombreux débats afin de discerner ce qu'elle représente vraiment.

Les différentes facettes de l'intelligence

En 1905, le psychologue Alfred Binet a décidé de mesurer l'intelligence selon une échelle métrique connue sous le terme de quotient intellectuel, le fameux QI. Deux types d'intelligence ont alors été répertoriés : l'intelligence verbale permettant d'exprimer des idées et des concepts et l'intelligence sensori-motrice permettant de calculer, de montrer un esprit logique et une capacité de résolution de problèmes. Avec les progrès des neurosciences, il a été depuis démontré que cette vision de l'intelligence était trop limitée et réductrice.

En 1983, Howard Gardner met en avant l'existence de capacités multiples et d'aptitudes bien plus diverses que celles considérées jusqu'alors. Il en dénombre sept : l'intelligence langagière, l'intelligence logico-mathématique, l'intelligence spatiale, l'intelligence musicale, l'intelligence kinesthésique, l'intelligence interpersonnelle et l'intelligence intrapersonnelle. Les intelligences interpersonnelles et intrapersonnelles ont ceci d'intéressant qu'elles facilitent la vie en communauté, l'intégration sociale et les capacités de remise en question. **Ces aptitudes sont particulièrement sollicitées lors d'une installation dans un autre pays et une autre culture.** Toutes ces intelligences activent certaines parties du cerveau de façon autonome et complémentaire. Elles sont influencées par le contexte socioculturel qui les stimule et permet des combinaisons d'intelligences, ce qui rend unique chaque individu.

On retrouve dans la théorie de Daniel Goleman de « l'intelligence émotionnelle » des composantes de ces intelligences inter et intrapersonnelles, mais en mettant davantage en avant le rôle des émotions. Il lie la vie affective, la personnalité et les instincts moraux dans une métacapacité allant plus loin que les capacités dites « cognitives ».

« L'intelligence émotionnelle désigne notre capacité à reconnaître nos propres sentiments et ceux des autres, à nous motiver nous-mêmes et à bien gérer nos émotions en nous-mêmes et dans nos relations avec autrui. Elle englobe des aptitudes à la fois distinctes et complémentaires de celles que recouvre l'intelligence scolaire, les capacités purement cognitives que mesure le QI[1]. »

Cinq compétences émotionnelles et sociales se distinguent : la conscience de soi qui permet de s'auto-évaluer avec objectivité, la maîtrise de soi qui permet la gestion des émotions, la motivation qui permet de se mobiliser pour réaliser ses objectifs, l'empathie qui permet de comprendre le raisonnement des autres, et enfin les aptitudes humaines qui permettent de collaborer en équipe efficacement.

À la rencontre d'une intelligence nomade

La notion d'intelligence nomade a été tout d'abord décrite par Bernard Fernandez[2] comme étant une capacité à se remettre profondément en question, ce qui permet à l'individu de penser autrement. L'intelligence nomade, c'est réussir à puiser en soi les capacités d'adaptation tout en portant un regard curieux et ouvert aux nouveautés externes. Il s'agit d'affronter les turbulences sociales et culturelles en se reconnectant en même temps avec son identité. Dès lors, sans renoncer à ce qu'il est, l'individu peut évoluer à travers de nouvelles expériences qu'il assimile jusqu'à un nouvel état de stabilité.

1. Daniel Goleman, *L'Intelligence émotionnelle* 2, Robert Laffont 1999.
2. Bernard Fernandez, *Identité nomade*, Anthropos, 2002.

Ce n'est pas seulement un gain de savoir qui touche les aptitudes cognitives, c'est toute une vision des choses qui en ressort renouvelée. L'intelligence nomade décrit l'impact du changement socioculturel dans la façon de percevoir le monde et d'interagir avec les autres. L'intelligence nomade correspond au fait d'orienter ses pensées dans un mouvement d'acceptation et de tolérance de la différence culturelle, c'est l'habilité mentale et émotionnelle à penser et à ressentir le changement, à intégrer en soi l'altérité pour faciliter à la fois ses capacités de compréhension et d'adaptation. C'est s'accepter soi et accepter les autres de façon empathique et tempérée.

La manière de percevoir l'environnement et les situations vécues, aussi complexes soient-elles, détermine la façon dont l'expatrié relève le défi de réussir à s'adapter à un nouvel espace de vie. Si l'intention première est de transformer le monde extérieur pour le rendre conforme aux attentes, le risque est d'engendrer une frustration. En revanche, en portant un autre regard sur ce monde extérieur, en changeant son angle de vue, en acceptant un état premier d'ignorance, la perception de l'environnement diffère et devient plus juste. Avec une certaine dose de candeur, le migrant porte alors un regard curieux sur son environnement qui devient alors une source inépuisable d'apprentissage et d'opportunités. Une adaptation progressive mêlant apprentissage et acceptation permet un mouvement évolutif à la fois enrichissant et épanouissant. Pour beaucoup, vivre longtemps ailleurs a particulièrement impacté la façon de raisonner, par exemple dans la faculté d'exercer une pensée plus souple ou dans la capacité à relativiser et à prendre du recul. C'est l'idée de l'acquisition d'une plus grande sagesse qui m'a été évoquée comme le résultat de nombreuses années d'efforts de tolérance, d'adaptabilité et d'équilibre entre différentes cultures.

Pascal évoque une intelligence nomade libératrice : « Je dirais que le fait de sortir de son cadre habituel force au changement. Je ne me rendais pas compte à quel point les cadres, notamment le cadre familial, pouvaient être limitants. Je m'entendais très bien avec ma famille, mais le fait de partir a fait ressortir ces "barrières" invisibles qui font que l'on n'ose pas, que l'on se limite. Il ne s'agit pas de choses folles ou extraordinaires, mais simplement d'exister en étant soi au plus juste de ce que l'on ressent. C'est assez subtil en fait. »

L'intelligence nomade est ainsi la capacité de vivre en dehors de son cadre familier. Le migrant se retrouve plongé temporairement dans l'incertitude et dans une inconfortable ignorance jusqu'à ce qu'un nouvel état de stabilité, de familiarité et de connaissance s'installe, comme un nouveau palier de compréhension du monde. Nous nous pencherons plus en détail sur les ressorts de notre intelligence nomade dans le chapitre 4, « Se réaliser à l'étranger en développant une intelligence nomade ».

On fait le point...

1. Quel trait de votre caractère a été le plus valorisé par votre entourage ? Lequel a été étouffé ?
2. Quelles compétences intellectuelles utilisez-vous le plus aisément ?
3. Êtes-vous suffisamment à l'écoute de vos émotions ?
4. Comment réagissez-vous dans un environnement méconnu ?
5. Comment pensez-vous avoir évolué au cours de votre vie ?

Chapitre 2

Pourquoi changer de pays nous déstabilise ?

« Pendant presque toute ma vie, j'ai été une étrangère, condition que j'accepte car je n'ai pas d'alternative. Plusieurs fois je me suis vue obligée de partir, en brisant des liens et en laissant tout derrière moi, pour recommencer ma vie ailleurs ; j'ai voyagé sur plus de chemins qu'il ne m'est possible de me souvenir. J'ai si souvent dit adieu que mes racines se sont desséchées, et il m'a fallu en créer d'autres qui, faute d'un lieu géographique où se fixer, l'ont fait dans la mémoire. »

Isabel Allende[1]

Le premier chapitre a abordé le déroulement du développement individuel. Maintenant, nous allons nous intéresser à la rencontre interculturelle.

Comprendre ce qu'est le nomadisme

Le nomadisme est un mode de vie fondé sur le déplacement physique, comportemental ou intellectuel. Il peut provenir d'un besoin écologique, climatique, économique, culturel, professionnel ou spirituel. Dernièrement, on parle également d'un nomadisme issu des

1. Isabel Allende, *Mon pays réinventé*, Le Livre de poche, 2003.

technologies numériques permettant de se déplacer partout sans bouger physiquement

Des hommes modernes devenus lièvre et tortue

Les progrès technologiques ont favorisé les déplacements géographiques ainsi que l'exploitation économique, touristique et culturelle du monde. Le nomadisme contemporain n'est toutefois pas uniquement un déplacement physique. Il se retrouve également de plus en plus dans la façon de vivre de l'homme moderne. Il pense nomade et se trouve dans une mouvance perpétuelle jusque dans ses engagements. Les mariages se font et se défont, les carrières sont l'objet de reconversions et même les méthodes de relaxation et de méditation prônent des voyages dits « intérieurs ». Des supports de nomadisme existent dans la vie de tous les jours qui permettent de déplacer le chez-soi avec soi : la musique, l'ordinateur, le téléphone, Internet ou même la bibliothèque, tout se transporte dans nos poches et nos sacs. **L'homme est devenu tortue, emmenant tout son monde avec lui. En même temps, tout va dorénavant très vite, tout est immédiat. Le culte de l'instantanéité renvoie alors au symbolisme du lièvre et à la vitesse de sa course.**

La mobilité internationale, pour des raisons professionnelles, a elle aussi subi l'influence des évolutions sociologiques, sociales et économiques. De cette façon, la théorie des générations décrite par William Strauss et Neil Howe[1] a été utilisée par le cabinet d'audit PWC[2] pour expliquer les différentes approches de l'expatriation professionnelle en fonction des générations.

1. William Strauss et Neil Howe, *The Fourth Turning*, Broadways Book, 1997.
2. http://www.pwc.com/en_GX/gx/managing-tomorrows-people/future-of-work/pdf/pwc-talent-mobility-2020.pdf

La théorie des générations

La génération du baby-boom : il s'agit de la génération de l'après-guerre. Elle dispose de fortes valeurs et prône un certain traditionalisme. Quand l'expatriation s'effectue sous contrat professionnel, cette génération exige l'obtention d'indemnités afin de pouvoir limiter les risques.

La génération X : elle concerne la génération née entre 1960 et 1980. C'est une génération qui a connu la récession économique, la hausse du chômage et l'augmentation du nombre de divorces. Elle vit principalement dans le présent et la recherche d'une plus grande stabilité. Elle souhaite se créer un patrimoine et négocie des expatriations permettant d'obtenir plus d'avantages matériels ou bien un meilleur équilibre de vie.

La génération Y : elle est née entre 1980 et 2000. C'est la génération dite des *« digital natives »* qui maîtrise Internet, les ordinateurs et les jeux vidéo. Elle est souvent considérée comme multitâche. Elle considère l'expatriation comme inéluctable, avec une vision internationale des opportunités de postes et de projets.

La génération Z : elle est née après les années 2000. Elle est aussi appelée « la génération C » pour Communication, Collaboration, Connexion et Création. C'est une génération du Web et des médias sociaux, connectée en permanence. Sa relation au temps et à l'espace est complètement différente : les contacts se font en ligne, le travail scolaire peut s'accomplir à distance et il n'y a plus de réelles barrières entre la vie personnelle et la vie professionnelle.

Un nomadisme intellectuel a également été décrit par Kenneth White[1] comme étant une pensée créative, curieuse et aventureuse qui ne suit pas de logique prédéfinie. Dans ce nomadisme se trouve l'idée de liberté de l'esprit se portant à la fois sur des domaines externes et internes et introspectifs. La curiosité intellectuelle s'intéresse aux autres et à soi avec la possibilité de remettre en cause les certitudes personnelles. C'est un nomadisme qui papillonne.

1. Kenneth White, *L'Esprit nomade*, Le Livre de poche, 1987.

Un nomadisme contemporain multifacette

Les destinations de migration professionnelle sont diverses, touchant tout aussi bien les pays industrialisés que les pays en voie de développement. Les profils et les statuts de ceux qui partent sont également très différents. Envoyé par une entreprise française, le migrant peut être « détaché » temporairement, avec le maintien de son contrat de travail et son affiliation à la Sécurité sociale. Il peut également être « transféré » avec un contrat local. Ou bien, il peut être à proprement dit sous un contrat d'« expatrié ».

Nombreux sont ceux qui partent s'installer dans un nouveau pays par choix, par défi, par soif de découvertes et de réussite, sans couverture sociale et professionnelle préalable. D'autres partent car ils ont obtenu un contrat local. Certains repartent au bout de quelques années, d'autres deviennent des résidents, avec l'équivalent d'une « carte de séjour » ou l'acquisition de la nationalité du pays. Ce sont alors des migrants. À la différence de l'exilé politique ou de guerre qui a fui son pays pour une question de survie, l'expatrié profite de la mondialisation pour s'installer plus ou moins longtemps ailleurs. Lorsque la raison du départ est spécifiquement professionnelle, on parle de « migration économique ».

Dans l'usage, l'abréviation « expat » est très souvent employée, avec une connotation qui peut être affective et positive, ou à l'inverse plutôt négative. Être « entre expats » ne désigne pas uniquement le fait de partager une culture commune, c'est aussi souligner la différence, c'est être « un Français de l'étranger ». Certains auteurs anglo-saxons parlent de *« global momad »* pour désigner les individus ayant vécu une grande partie de leur vie ailleurs, c'est-à-dire dans un ou plusieurs pays distincts. L'individu peut alors avoir perdu une idée claire de ses origines culturelles.

Poussés par les besoins des entreprises et par la mondialisation du travail, les nomades issus des pays industrialisés sont de plus en plus nombreux. Vivre à l'étranger est devenu une part majeure de la formation universitaire, professionnelle et de l'évolution de carrière. **Penser de façon nomade est aussi une réalité du monde contemporain où les déplacements ne sont plus obligatoirement géographiques, mais sont bien souvent considérés comme un art de vivre.**

Connaître les enjeux du culturel

Quand il part s'installer à l'étranger, la question pour le migrant est de réussir à maintenir un équilibre et une cohérence entre ce qu'il a été et ce qu'il doit dorénavant être dans son nouveau cadre de vie. Le migrant se retrouve alors à devoir développer des stratégies qui lui permettent de résoudre une difficile problématique : **comment maintenir sa culture initiale tout en s'intégrant dans la nouvelle culture ?**

S'ajuster à une nouvelle culture

Le terme de culture représente le rapport entre l'individuel et le social. Selon le courant de pensée appelé « culturalisme » né aux États-Unis dans les années 1930-1950, la culture serait une manière de penser, d'être et de se comporter, obtenue par des processus d'apprentissage et d'imitation effectués dès le plus jeune âge. D'un point de vue individuel, la culture d'une personne est l'ensemble des normes et des codes transmis par l'éducation. Il s'agit des connaissances d'une personne, de ses habitudes, ses traditions, ses valeurs et ses croyances. S'identifier à une culture, c'est intégrer des règles permettant une insertion sociale, ce qui alimente également l'identité individuelle. D'un point de vue social, la culture représente l'ensemble de pratiques, de comportements, d'habitudes et parfois de traditions partagées par les membres d'un groupe. Les échanges interindividuels s'effectuent à travers l'usage d'un langage ou de codes, verbaux ou non, renforçant le sentiment d'appartenance et enrichissant les particularités culturelles du groupe.

La culture n'est ni figée ni objective. Elle va au-delà de ce qui est visible et factuel. Elle représente en fait un ensemble de significations acquises, partagées et retransmises. Un individu appartient à la fois à une culture qui le moule d'une certaine façon, mais il est également acteur de l'évolution de cette même culture. C'est un processus simultané d'interdépendance, dynamique, qui est autant influencé par l'évolution des membres du groupe que par l'impact de pressions extérieures, qu'elles soient politiques, historiques, technologiques ou scientifiques. L'individu n'appartient pas non plus à une culture unique. Il est par nature multiculturel, faisant partie de différents groupes sociaux. Il peut ainsi être membre d'une catégorie socioprofessionnelle, d'un groupe de sport, d'un groupe familial, d'un groupe idéologique, d'un groupe exclusivement féminin ou masculin, d'un groupe générationnel, d'une culture de mode et également d'une culture régionale.

Julie, après avoir passé son enfance en expatriation, décrit ce qu'est sa culture : « Culturellement, je me sens française, mais aussi un peu japonaise et un peu anglo-saxonne, ce qui est directement lié au fait que je parle japonais et anglais. J'ai gardé des coutumes ou mimiques du Japon telles qu'enlever ses chaussures en rentrant chez soi, rire en se cachant les dents avec la main, je cuisine beaucoup japonais. De l'Australie, je garde surtout la culture anglo-saxonne, c'est pourquoi j'ai aussi étudié à l'université américaine de Paris. »

Face à une nouvelle culture, il peut se produire une « acculturation », ce qui correspond à une modification des modèles culturels initiaux. On peut constater parfois une « déculturation », c'est-à-dire une perte de la culture initiale, ou bien une « reculturation » c'est-à-dire l'appropriation d'une nouvelle culture, ou même une « contre-acculturation », qui est un rejet de la nouvelle culture.

Différentes réactions peuvent se retrouver en fonction de la situation globale d'ajustement dans le pays. Des phases de méfiance ou d'opposition peuvent suivre des phases d'admiration ou de fascination. En fonction de la stratégie employée, des répercussions psychologiques importantes se produisent. Ainsi, un rejet culturel vif, qu'il soit de la nouvelle culture ou de la culture d'origine, engendre un mal-être important avec risque de confusion, d'une perte de l'estime personnelle, d'un sentiment d'infériorité, d'un repli dépressif, d'un retrait social, d'une montée anxieuse et de risques de crises d'angoisse. Il apparaît parfois chez l'individu confronté à une culture très différente de la sienne des phénomènes de dissonances internes, des frictions ou même des réactions agressives, comme des signes d'opposition violente. Parfois, ce sont des cris silencieux où la personnalité fragilisée n'arrive pas à trouver une expression à son malaise. C'est un sentiment de vide intérieur, d'incompréhension générale, de doute et de vacuité qui fait alors surface et pousse certaines personnes à s'isoler.

Comprendre l'impact de la nouvelle culture

Il est important pour votre intégration dans cette nouvelle culture d'envisager les réactions subjectives et objectives qui auront immanquablement lieu.

Prenez le temps de considérer la connaissance réelle et objective que vous avez du pays. Une meilleure connaissance du pays ainsi que des facteurs plus précis de compréhension culturelle atténuent à la fois l'effet du choc culturel, mais aussi l'usage excessif de stéréotypes et de préjugés. Ces derniers sont des mesures d'adaptation d'urgence qui faussent la réalité et, finalement, ralentissent l'intégration. Préjugés et stéréotypes ont pour fonction de généraliser de façon abusive ce qui est méconnu, au prix d'une vision caricaturale et non réaliste.

Prenez le temps de constater l'impact en vous de cette nouvelle culture. Elle apporte un réel enrichissement de la personnalité avec une plus grande acceptation de soi et des autres, une meilleure compréhension des règles, le développement de la curiosité, de la tolérance, de l'écoute empathique, une plus grande créativité et une plus grande souplesse relationnelle.

Bernard Fernandez[1] propose le terme d'« aporie interculturelle » pour décrire le sentiment d'incompréhension et de désarroi qui résulte de la rencontre avec une culture différente. L'aporie interculturelle est l'impression de se retrouver coincé dans une impasse, sans possibilité de s'en sortir, d'où un sentiment d'impuissance important et assez angoissant.

Solange s'est confronté au choc des cultures en travaillant en tant que professeur aux États-Unis : « C'est là que les conflits surgissent ! Non pas avec les gosses, mais avec les collègues et l'administration... Des conflits de perspectives quant à l'éducation, surtout quant à la manière dont je devais enseigner ! Il a fallu que je calme mes ardeurs, ma spontanéité, que je "nuance"... Très dur car ma personnalité est bouillonnante, passionnée ! Et ce genre de personnalité peut bloquer de nombreux Américains. Ça n'a vraiment pas été évident car, durant toutes ces années, j'étais seule, ma famille étant en Tunisie, et j'avais très peu d'amis.

1. Bernard Fernandez, *Identité nomade*, *op. cit.*

L'amitié, d'ailleurs, au sens profond, ce n'est pas évident ici, aux États-Unis, surtout avec les Américains qui ont probablement peur de ce qui est "différent". C'était franchement trop dur d'être patient pour aller au-delà des barrières culturelles. J'ai souvent eu envie de reprendre mes cliques et mes claques, j'ai souvent pleuré, seule... Et puis, reprendre ses cliques et ses claques ? Au fond, dans ce pays, savoir aussi que si l'on a du courage, de la persévérance, il y a des opportunités, cela m'a aussi aidée. »

La sidération que provoque la rencontre interculturelle à l'arrivée dans un nouveau pays non assimilé est ce que l'on nomme le « choc culturel ».

Dépasser le choc culturel

Le « choc culturel » est un terme qui a été utilisé pour la première fois par l'anthropologue Kalervo Oberg pour désigner la détresse physique et émotive de celui qui arrive dans le nouveau pays d'accueil. Le migrant se retrouve en effet plongé dans un contexte qu'il ne maîtrise pas et que parfois il ne comprend pas. L'environnement est à la fois étranger et insolite. Les gestes anodins, les mœurs et les coutumes doivent être réappris, alors qu'un nouveau réseau relationnel est à construire. Stress et désorientation deviennent source d'anxiété. L'expatrié passe alors par différentes phases appelées les « étapes du choc culturel », qui correspondent au cycle de vie de l'expatriation. On symbolise par une courbe les différentes étapes du changement et les besoins d'adaptation culturelle qui en résultent.

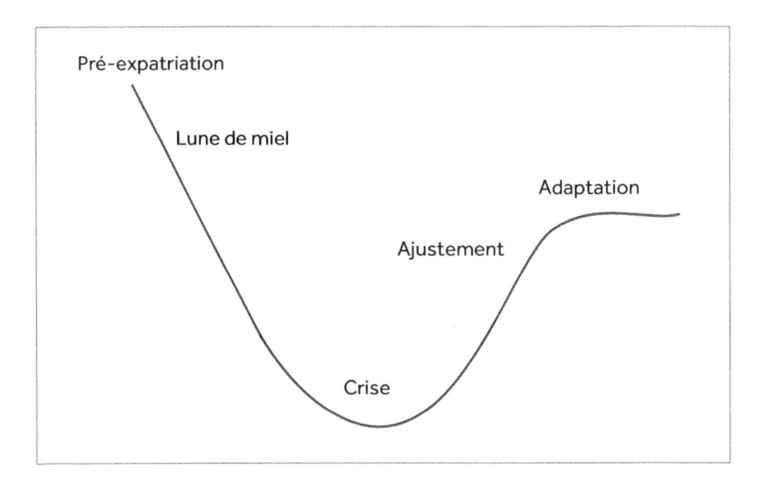

Les différentes phases du choc culturel sont les suivantes : la phase de pré-expatriation ou de préparation, la phase de la lune de miel ou de découverte, la phase critique ou de crise, la phase d'ajustement ou de récupération, et enfin la phase d'adaptation ou de retour à la normale.

Dans un premier temps apparaît la phase dite de « **pré-expatriation** » : l'idée d'un départ à l'étranger éveille un flot de questionnements, d'inquiétudes et requiert une importante préparation logistique. Cette phase peut être très courte ou même précipitée par les besoins urgents de l'entreprise. Le migrant peut alors ne pas avoir pu s'informer suffisamment sur le pays d'accueil ni avoir le temps de quitter ses proches. À l'opposé, cette phase de préparation peut être très longue. Un fort désir d'expatriation pouvait être déjà omniprésent chez le migrant. Le risque est de constater un écart entre le rêve et la réalité qui peut entraîner quelques déceptions ou des désillusions. Que le projet d'installation à l'étranger provienne d'un désir personnel, individuel ou familial, ou bien qu'il soit tributaire d'obligations professionnelles, c'est la façon dont l'individu et sa famille y adhèrent qui va renforcer l'intensité des ressentis au cours des phases suivantes.

Marie parle de la difficulté de tout laisser et de tout quitter quand vient le moment du départ : « C'est certainement l'une de mes principales difficultés ; laisser ma belle maison joliment décorée et meublée, laisser ma jolie voiture qui attend notre retour au chaud dans notre garage. Je fais partie de ces rares Françaises qui accordent une importance extrême à leur intérieur. Ne pas être chez moi ni dans mes meubles ni avec ma décoration est horrible. À 40 ans, on commence à être bien installés et tout laisser et repartir de zéro était délicat, peut-être que cela arrivait un peu trop tard... Mais nous avions voulu tenter l'expérience, alors il fallait tenter. »

La phase dite de la « **lune de miel** » apparaît à l'arrivée dans le pays d'accueil. Il s'agit de la période de l'installation et de la découverte. L'environnement est perçu le plus souvent avec fascination et intérêt. Tout est nouveau, ce qui est stimulant et alimente un sentiment d'euphorie et de curiosité. Professionnellement, l'expatrié souhaite se dépasser et pour ce faire il mobilise toutes ses ressources avec une forte motivation malgré les difficultés. L'aspect pratique et logistique de l'installation est prioritaire, avec des stratégies de résolution de problème autour des besoins primaires de la famille : le logement, les écoles, les magasins, les moyens de locomotion, etc. Tout se traduit dans l'action avec peu de repos pour élaborer et intégrer ce flot de nouveautés.

Colette témoigne : « Ah ! L'excitation de l'expatriation ! La joie de la découverte d'un nouveau pays ! L'enthousiasme qui nous permet d'abattre tant de travail : entre les procédures administratives, les cartons de déménagement et le quotidien à continuer de gérer ! »

Après cette première période exaltante, les doutes et des difficultés se font sentir de façon plus forte. Les différences et les incompréhensions commencent à peser. Ce qui était au début intéressant et excitant devient à la longue éprouvant et épuisant. C'est la phase de la « **crise du choc culturel** ». Des désillusions et des frustrations font surface. Les lacunes culturelles pèsent, formant une impression de handicap social. De nombreuses épreuves de la vie quotidienne apparaissent provenant de l'inexpérience des codes sociaux, avec des difficultés de communication. Le stress atteint un seuil particulièrement élevé, mêlé à un épuisement physique et psychique. Des symptômes d'ordre somatique peuvent apparaître comme des syndromes dépressifs ou des troubles anxieux. L'individu souffre de ne pas être intégré. Il se sent découragé et déçu, en perte de repères. Déraciné, il peut également souffrir de solitude. Certains vivent difficilement leur statut d'étranger avec lequel, physiquement, culturellement, idéologiquement ou spirituellement, ils se sentent stigmatisés et en décalage. Parfois, c'est un véritable rejet pour le pays d'accueil qui fait surface. Des pensées négatives, hostiles, ou de colère peuvent se développer. Alors qu'il se sent à la fois désemparé et perdu, l'expatriation peut sembler pour lui être une bataille vaine.

Katia : « Un de mes souvenirs des premiers mois est cette fois-là, lorsque mon mari part en voyage d'affaires pour une semaine, le dimanche après-midi. Je regarde mon téléphone pour voir si je peux appeler une copine pour papoter, passer le temps... et là, je me rends compte que ma liste de contacts américains est vide, et qu'avec neuf heures de décalage horaire, ce n'est pas le bon moment pour contacter des amis français : la solitude se fait sentir... »

Heureusement, le plus souvent, suit une phase de **récupération** où l'expatrié commence à assimiler les nouveaux codes. C'est une période de compromis où une résignation prend le dessus sur le rejet. L'individu améliore sa connaissance de la langue et des normes locales. Il développe son tissu relationnel. Il tente courageusement de dépasser les difficultés diverses qu'il continue de rencontrer, mais qui ne semblent plus aussi insurmontables. Il reprend confiance en lui et essaie de mettre en place certaines routines. Un équilibre de vie nouveau et original se met peu à peu en place. Le fait d'avoir pu surmonter les obstacles et les doutes renforce une certaine résilience. Les mésaventures du début peuvent être revisitées avec humour et un certain détachement. Les maladresses peuvent être partagées socialement sous la forme de plaisanteries complices avec d'autres migrants ayant connu des expériences similaires.

De là, la phase **d'adaptation** se met en place. Le migrant se sent davantage « chez soi ». Il accepte la nouvelle culture et il a dorénavant une attitude plus positive à son égard. Il possède une meilleure maîtrise des codes et des rouages culturels, il peut donc relâcher ses efforts. Il agit de façon plus naturelle et spontanée, en ayant assimilé une nouvelle façon d'être socialement, professionnellement et personnellement. C'est un nouvel équilibre qui est alors atteint.

Flore explique : « Au tout début de notre expérience d'expatriation, je ne savais pas trop à quoi m'attendre : loin de ma famille, plus de travail, à la maison avec deux petits enfants, pas d'amis dans le nouveau pays. Je ne savais pas non plus si mon niveau d'anglais me permettrait de me débrouiller dans la vie quotidienne. Deux ans plus tard, toujours en Californie et heureuse d'y être ! J'ai ressenti un sentiment de liberté comme l'opportunité de découvrir une autre façon de voir le monde et les gens, de découvrir des activités et de changer mon mode de vie. Je me suis sentie libérée, décomplexée et vraiment active dans la recherche du mode de vie qui me convient le mieux et qui puisse également nous épanouir en famille. »

Quand un retour au pays d'origine suit, l'individu n'est plus tout à fait le même que celui qu'il était avant de partir. Traverser ces différentes phases l'ont non seulement enrichi, mais lui ont aussi permis de se découvrir autrement.

Dépasser le choc culturel

S'intégrer dans un pays étranger consiste à passer par différentes phases transitoires allant de l'excitation, à la lassitude puis à l'acceptation. L'impact de chacune de ces phases peut néanmoins être atténué avec des stratégies adaptées.

- ✓ Informez-vous sur la réalité locale avant de partir. Dans l'idéal, trouvez un « parrain » qui vit sur place grâce aux associations d'accueil locales.
- ✓ Ménagez-vous durant la phase d'installation pour ne pas vous épuiser.
- ✓ Soyez patient lors de la phase de lassitude ; rassurez-vous, c'est un moment difficile, mais temporaire.

✓ Ajustez vos habitudes à ce nouveau cadre de vie pour permettre de récupérer un rythme harmonieux pour vous.

✓ Sortez, rencontrez du monde et inscrivez-vous à des activités, cela facilitera votre adaptation et votre intégration sociale.

S'adapter aux changements de cadre de vie et aux périodes de transition

Les transitions de vie sont des altérations dans le parcours individuel provoquant certaines modifications. L'existence prend une bifurcation. La réalité psychologique et subjective s'ouvre également à une autre dimension. La transition de vie n'est pas uniquement un changement dans le quotidien, c'est le franchissement d'un nouveau cap qui doit être intégré et qui va toucher en partie la personnalité de celui qui le vit. **La mobilité internationale est une de ces transitions de vie majeures. Cette expérience, même si elle n'est que temporaire, marque à jamais l'individu dans son ouverture au monde, aux autres et à soi.**

Partir s'installer à l'étranger, pour un temps limité ou même indéterminé, implique le besoin de s'adapter à un nouveau cadre de vie, à une nouvelle culture, à d'autres façons de communiquer et d'interagir socialement. C'est au travers d'une transition personnelle intérieure, personnelle et subjective qu'une nouvelle façon d'être, de se repérer, de penser, d'interagir avec les autres va surgir. Cette nouvelle façon d'être (interne) découle d'un changement qui fut de prime abord observable (externe). De cette façon, le surprenant devient familier et une capacité à relativiser se développe.

L'individu se retrouve à délaisser momentanément une part de soi connue pour traverser une période d'inconnu et de passage à vide avant finalement d'accueillir un nouveau soi plus en accord avec son environnement. La période de flottement entre les deux états est la transition. Elle passe par un processus de désorientation et réorientation en trois étapes. La première correspond à l'acceptation de la fin d'un état stable. La seconde est une période intermédiaire d'incertitudes. La dernière, enfin, est la période de renouveau et la découverte de nouvelles habitudes.

La préparation au changement

La transition démarre par un renoncement, qu'il soit d'un lieu, d'une action, d'une situation ou bien d'une activité. Le changement provient d'une rupture et de l'abandon de ce qui était naguère familier, ce qui peut éveiller des inquiétudes, des peurs ou même des angoisses. Pour ouvrir une nouvelle page, il est nécessaire d'être prêt à en tourner une autre.

Selon William Bridges[1], le processus du renoncement passe par cinq réactions :

- un désengagement prenant la forme d'une rupture de ce qui était habituel ;
- un démantèlement quand les habitudes et les repères antérieurs se modifient en perdant graduellement de leur force affective et émotionnelle ;
- une désidentification quand le migrant ne sait plus très bien ce qu'il est devenu ;
- un désenchantement quand le migrant cesse de se référer à ses anciennes habitudes qui n'ont plus d'efficacité dans son nouveau lieu de vie ;

1. William Bridges, *Transitions de vie*, InterÉditions, 2006.

- une désorientation quand apparaît une sorte de passage à vide. Il s'agit d'une impression de confusion propre au fait d'avoir perdu ses repères habituels.

À travers ce renoncement, l'individu se détache de son passé. Le migrant ne doit pas uniquement quitter physiquement son pays, mais il doit également émotionnellement quelque peu s'en écarter pour pouvoir investir son nouveau cadre de vie.

La gestion du changement

Le moment précis où les changements ont lieu provoque un état assez déstabilisant, mêlant frustration et anxiété. L'individu ne sait plus très bien où il en est. Ce qui est perdu apparaît clairement sans que les gains éventuels ne soient encore très clairs. Dans le cas de l'expatriation, il s'agit de cette zone d'entre-deux où l'individu ne sait pas encore très bien à quoi va ressembler sa vie. Cette période de transition est une période d'observation, de curiosité, d'intérêt aussi bien pour le monde environnant que pour les ressentis et les émotions internes.

Accepter le changement peut être considéré comme une autre façon de se positionner face à une situation. Il s'agit alors d'ouvrir de nouvelles perspectives et de repenser la situation autrement. Le changement commence donc principalement par une perception et non nécessairement par une action pour changer la situation, aussi inconfortable soit-elle. Lorsque la mobilité s'effectue dans une région peu attrayante, ce n'est pas tant l'environnement qui peut être changé mais plutôt son positionnement quant à lui. Aussi difficile et frustrante que soit la nouvelle terre d'accueil, qu'en est-il des opportunités qu'elle propose ?

Sandrine s'est installée dans la banlieue de Cleveland, dans l'Ohio, après avoir vécu deux années formidables à New York. Se retrouver isolée, perdue, accablée d'ennui dans ce qu'elle considérait être un coin perdu au milieu de nulle part fut une terrible épreuve pour elle et pour sa famille. Pourtant, il aura fallu quelques mois d'adaptation pour ne plus avoir à comparer constamment les deux expériences américaines, que les enfants trouvent eux aussi leurs marques, pour découvrir les particularités et un certain charme à cette région pittoresque et, au bout du compte, y puiser un certain équilibre de vie.

Lorsque le migrant arrive dans le nouveau pays, il expérimente cet égarement propre à celui qui ne connaît pas et qui ne se repère pas. Il est perdu car il ne maîtrise pas encore son environnement. Puis, il apprend à se situer et à assimiler des informations qui l'aident peu à peu à s'adapter. Au bout d'un certain laps de temps, il acquiert plus d'aisance et ne regarde plus son espace social avec autant d'attention. Se déplacer dans ce nouvel espace de vie devient plus naturel et n'exige plus autant d'effort de concentration.

L'accès à un nouveau départ

Lorsqu'un changement profond, assimilé et accepté se réalise, une porte s'ouvre alors sur d'autres possibilités. Il peut y avoir élaboration d'un projet en accord avec un panel plus large d'offres. Pour que le changement s'opère pleinement, il est nécessaire qu'il y ait une réelle adhésion aux bénéfices obtenus par un nouveau comportement, ce qui alimente courage, persévérance et volonté. Lorsque les changements ne sont pas souhaités, mais subis, il peut y avoir de nombreuses résistances qui empêchent ce changement d'être réellement accepté et assimilé. Dans le cadre de la mobilité internationale, l'acceptation du changement de pays favorise l'adaptation. Grâce à une meilleure connaissance de soi, une prise de conscience de ses capacités individuelles, la prise en compte de la réalité environnementale et des différentes options offertes, l'expérience internationale et le processus d'intégration se font plus en douceur.

En s'appuyant à la fois sur ses ressources personnelles, sur l'ensemble de son parcours de vie et sur le cumul de ses expériences personnelles, l'individu peut donner du sens à ce qu'il vit et qui semblait initialement étrange. Son interprétation personnelle de l'incompréhensible et sa capacité à accepter la différence sont alors les supports pour s'intégrer dans la nouvelle culture. À travers l'anticipation du changement, l'individu se prépare mentalement à vivre une période de transition déstabilisante. Une attitude favorable permet d'intégrer les bénéfices qui découlent du changement, ce qui se traduit par un comportement d'ajustement à la nouveauté. Si, en revanche, ces changements ne sont pas souhaités, un conflit intrapsychique débouche sur une attitude de rejet, d'opposition ou de résignation. Un migrant mentalement prêt à affronter les changements inhérents à la mobilité internationale mettra toutes ses chances de son côté pour mieux s'y adapter.

Faire face aux transitions et aux changements

La perception que nous possédons de la transition a un impact direct sur la façon de la vivre. Le système des 4S (selon la théorie des transitions de Schlossberg) permet de prendre en compte les quatre facteurs en jeu dans la transition.

- ✓ Situation : quelle est votre situation réelle à ce moment-là ? Quels autres stress vivez-vous ? Que se passe-t-il vraiment aujourd'hui ?

- ✓ Self : comment supportez-vous cette situation ? Comment vous sentez-vous ? Quelles sont vos ressources personnelles pour vivre cette situation ?
- ✓ Soutien : comment êtes-vous aidé ? Sur qui et sur quoi pouvez-vous compter ?
- ✓ Stratégies : quelles sont les différentes démarches que vous pouvez entreprendre ? Que pouvez-vous mettre en œuvre ?

Une fois que toutes ces caractéristiques ont été identifiées, la transition apparaît plus clairement et elle est alors moins subie. Une démarche plus active peut alors être mise en place, ce qui aide à mieux vivre cette situation d'entre-deux.

Des identités qui deviennent mosaïques

L'installation à l'étranger dans le cadre d'une mobilité professionnelle peut être considérée comme un événement déstabilisant dans un parcours de vie, provoquant une coupure importante dans les repères spatio-temporels. L'identité tout entière peut en être ébranlée. Il peut en résulter une perte du sentiment de continuité. Certains n'y font pas face, préférant interrompre l'expatriation dans sa globalité, ou bien se réfugiant dans une attitude de repli, plus défensive, de rejet. D'autres poursuivent à leur rythme l'immersion dans la nouvelle culture. La disposition personnelle à découvrir l'inattendu est ainsi relative. On désigne par le terme d'« identité mosaïque » l'acceptation et l'intégration en soi de la nouveauté culturelle.

L'origine et la nationalité remises en question

Avant de comprendre ce que l'individu devient, il est nécessaire de comprendre d'où il vient. La question initiale de l'origine peut néanmoins s'avérer particulièrement complexe. L'origine est souvent assimilée à la culture ou au pays de provenance ; or, elle peut également concerner la nationalité, la filiation, la culture, l'éducation, ou même un ressenti plus subjectif.

Pour ce qui est du lieu de naissance, l'origine dite « du sol » représente parfois uniquement un lieu de passage des parents. Certains ne s'identifient pas à un pays de naissance où ils n'ont quasiment pas vécu. Pourtant, c'est ce lieu de naissance qui octroie le plus souvent la nationalité. On devient alors citoyen de l'endroit où l'on naît, quelle que soit l'origine familiale. Occasionnellement, c'est l'origine des parents qui s'impose à l'enfant, même s'il n'y a jamais vécu. La nationalité peut être subie. Parfois aussi, la nationalité change ou se multiplie. Plusieurs identités administratives peuvent correspondre à un même individu. La nationalité offre l'obtention du passeport, outil privilégiant les déplacements internationaux de certains pays vers d'autres en fonction du pays émetteur. Dans mon cas, étant née en France de parents étrangers, à ma majorité j'ai dû choisir. Jusque-là, pour des raisons administratives, je possédais la nationalité bolivienne de mon père bien qu'étant née à Paris. À 18 ans, j'avais alors le droit de prendre la nationalité française, ce qui me faisait renoncer à la nationalité bolivienne par le manque d'accord entre ces deux pays pour la double nationalité. Ce document administratif représentait symboliquement pour moi le renoncement à mes origines sud-américaines et me démarquait de toute ma famille, étant la seule née en France. J'étais alors stigmatisée comme française, comme si j'avais délibérément choisi un pays au détriment d'un autre.

Pour Sonia, qui a des parents de nationalités différentes et qui a vécu à l'étranger toute sa vie, la question de l'origine est complexe : « C'est toujours très fastidieux pour moi de répondre à la question de mes origines. Lorsque l'on a passé la majorité de sa vie à l'étranger, on ne peut pas répondre simplement à ces questions. Ce qui vient en premier est de répondre : « Je suis française », c'est plus simple. Mais lorsque l'on vous pose ces questions en France, ça ne suffit pas, la plupart des gens veulent savoir de quelle région vous venez, de quelle ville, etc. Aujourd'hui, je dis que je suis française de nationalité et de cœur, mais aussi « citoyenne du monde ».

L'origine filiale est quant à elle l'origine dite « du sang ». Elle représente la personne en fonction de l'origine ethnique et identitaire des parents. Cette origine peut provenir d'une mixité. Les parents du migrant peuvent eux-mêmes être le résultat de plusieurs métissages chez leurs propres ascendants. Se reconnaître Latino, Beur, Noir, c'est aussi pointer une particularité représentant davantage une culture émergente où se combinent l'héritage culturel des parents, la culture du pays d'accueil et un sentiment d'appartenance social. Une identité alternative prend naissance. Une prise de position symbolique apparaît qui peut s'exprimer dans certains arts graphiques, musicaux, politiques ou même dans des discours revendicatifs.

Sur le plan éducatif, l'origine peut provenir des traditions familiales, qui peuvent être l'héritage de différentes cultures. Mais l'éducation provient aussi de l'endroit où l'individu a poursuivi ses études et où les interactions sociales se sont produites. Seulement, là encore, la situation peut s'avérer compliquée. Des déménagements ou des expatriations durant l'enfance exposent l'enfant à de multiples cultures.

Anna évoque son héritage génétique et culturel présent dans ses origines. « Je suis née en Tunisie de père tunisien. J'ai grandi dans ce pays baigné par la culture nord-africaine, avec sa lenteur, ses intenses émotions, sa chaleur, ses senteurs, mais aussi ses paradoxes. En plus de cela, je suis française par ma mère, avec un cursus scolaire entièrement français, avec l'école élémentaire et le lycée français, qui a une logique toute cartésienne... Gosse, pas facile de savoir ce que l'on est, c'est un tumulte interne, surtout dans cette crise d'identité qu'est l'adolescence. »

L'origine peut correspondre à une tentative d'équilibre entre différents repères identificatoires. La notion d'origine est subjective. C'est une impression, une émotion ou une revendication. Le migrant interculturel possède intérieurement ce que représente son « *home* » ; c'est-à-dire son chez-soi.

En quête de son chez-soi

Le lieu où l'on se reconnaît chez soi est difficile à identifier lorsque l'on a vécu dans différents endroits et que l'on porte en soi différentes origines. Cela peut être un ou plusieurs lieux géographiquement discriminables qui nous font nous sentir bien et nous ressourcent. Cela peut également être un environnement social auquel l'on se sent appartenir. Pour l'écrivain Pico Iyer[1] , il s'agit avant tout d'un ressenti. Être chez soi est un état d'esprit spirituel et méditatif. On peut ainsi se sentir chez soi lorsque des émotions fortes nous submergent et lorsqu'il existe un sentiment d'harmonie entre soi et l'environnement.

1. Pico Iyer, *L'Homme global*, Hoëbeke, 2006.

Sonia précise : « J'ai un rapport sentimental, nostalgique, par rapport à l'endroit où je me sens chez moi. Je me sens chez moi à Paris, car j'y ai vécu suffisamment longtemps maintenant pour m'y être plutôt bien intégrée et y avoir des amis, tout comme à Tokyo, dernier poste où j'ai vécu. » Pour Sonia, *« home »*, c'est à la fois Paris et Tokyo, là où elle se sent bien.

Pour certains expatriés, le sentiment de chez-soi apparaît dès que certaines affaires à forte valeur sentimentale sortent des cartons ou bien lorsqu'ils peuvent se reconnecter à un goût, à un parfum ou à un son évocateur de souvenirs et de bien-être.

Dominique décrit les trois éléments de stabilité qui restent présents pour sa famille et pour elle, quels que soient les pays d'expatriation : « Nous avons trois repères culturels indispensables qui nous suivent où que nous allions et que nous retrouvons avec satisfaction, ce qui nous permet de ne pas nous sentir complètement déracinés. La première chose est la cuisine familiale. À l'extérieur, nous pouvons manger des plats typiques du pays, mais, à la maison, c'est important de retrouver nos goûts et nos traditions culinaires familiales. La deuxième chose est la langue. Bien qu'ayant appris la langue des pays où nous avons vécu, j'ai toujours eu besoin de rencontrer assez vite des francophones pour pouvoir parler avec des personnes qui utilisent aussi ma langue. La dernière chose, ce sont mes affaires. Elles ont une grande valeur sentimentale. Au fur et à mesure de nos voyages, nous avons acheté des affaires petit à petit et j'ai vraiment besoin de les retrouver pour me sentir chez moi où que nous vivions. »

C'est dans la prise de conscience de l'instant et de ce qui nous fait du bien que l'individu, *a fortiori* l'expatrié, trouve son chez-soi. L'important n'est alors pas de savoir d'où l'on vient, mais plutôt où l'on est. Le chez-soi du migrant n'est pas tant le lieu de naissance, d'habitation, d'origine filiale ou éducative, mais davantage le lieu où l'on se sent être soi-même. Chez-soi n'est pas un lieu passif, mais un espace de recueillement qui se construit à chaque étape de la vie, une alliance entre la culture locale et la culture interne, entre les traditions familiales et les nouvelles traditions, entre l'inconnu et le connu, entre l'extérieur et l'intime. **Il s'agit ainsi de trouver son chez-soi en soi où que l'on soit.**

Claude témoigne : « Il est très confortable, très rassurant, de penser que l'on reste libre de tout lien, "libre comme l'air", c'est une consolation par rapport au fait de ne pas avoir de racines... Je suis sûre que qui dit racines dit déchirement, possibilité de nostalgie, obligation de retour un jour. Quand on ne possède pas de bien d'une part, et que, d'autre part, on n'est pas attaché sentimentalement à une terre, on reste libre de refaire sa vie si nécessaire, à tout âge... »

Un sentiment de liberté peut apparaître du fait d'un sentiment d'appartenance au monde plus souple et moins déterminé.

Une identité qui se décline en plusieurs teintes

Le sentiment d'appartenance devient déterritorialisé, transcendant à la fois les frontières, les nationalités, les pays, les cultures et les espaces. Il prend appui sur un cumul d'origines et d'expériences. Les identités deviennent ainsi multiculturelles.

Selon Anna : « Je suis issue d'une identité polyculturelle et, par conséquent, je suis une mosaïque. Tunisienne ? Française ? Un peu de ceci, un peu de cela. On sent que l'on est différent, que l'on n'appartient pas vraiment à l'un ou à l'autre. En plus de tout cela, j'ai beaucoup voyagé de par le monde, avec mes parents, alors bien évidemment j'ai été exposée dès le plus jeune âge à différentes cultures. Ado, ce fut le conflit entre ces deux cultures, conflit lié à une crise d'identité, qui va durer longtemps, je dirais jusqu'à ce que je parte en France faire mes études. Le temps a fait son œuvre, résultat : je suis deux au lieu d'un ! C'est moi ! Un héritage génétique et culturel. Je suis une éponge de tout ce que j'ai pu assimiler, de tout ce que j'ai aimé dans les trois cultures. Je ne suis ni à 100 % tunisienne, ni à 100 % française, ni à 100 % américaine... Je suis tout simplement une mosaïque. De toute façon, je ne veux pas être à 100 % ceci ou cela. Quand on a cette dimension multiculturelle, les barrières, eh bien, elles n'existent plus ! »

C'est dans une logique de complémentarité, de rapprochement des cultures, et d'épanouissement que l'individu possédant une identité multiculturelle se construit. Cette identité multiculturelle n'est pas propre à tout expatrié. Nombreux sont ceux qui se préservent de toute modification identitaire, portant un regard critique ou bien même ethnocentrique sur la société de migration. Une attitude protectrice de rejet du pays de migration les préserve d'une éventuelle influence culturelle. D'autres sombrent dans le doute, avec une identité fragilisée et des certitudes pulvérisées, ce qui provoque un repli sur soi de nature plus dépressive. D'autres, enfin, adoptent un comportement de mimétisme culturel, avec une volonté de « faire comme si ». C'est une attitude proche du « faux self » qui se joue alors. Le faux self est une fonction de défense de l'individu qui s'établit sur la base d'identifications. À travers une suradaptation, la personnalité se rend conforme aux attentes des autres, jouant, inconsciemment ou non, un rôle attendu. Le risque est que l'individu oublie qui il est vraiment et se retrouve en incohérence interne.

L'expatriation peut aussi devenir un acte migratoire qui se prolonge dans la durée jusqu'à devenir une sédentarisation. Même si pour certains la migration était envisagée de façon temporaire, rapidement les années se sont mises à défiler, les enfants sont nés et se sont installés dans le nouveau pays, et peu à peu une stabilisation et une véritable implantation familiale se sont effectuées. Dans le meilleur des cas, une dichotomie harmonieuse se réalise alors chez le migrant. Un vécu ambivalent entre deux cultures s'établit.

Jean-Pierre m'expliquait que pour lui l'équilibre de vie c'était être « à cheval » entre deux pays, en ayant « un pied ici et un pied là-bas ». Il passe toute l'année en Australie, où il vit depuis plus de trente ans et où vivent aussi ses enfants et ses petits-enfants. L'été se déroule en France où il peut retrouver ses frères, mais aussi ses amis d'enfance. Un attachement plus important à la France est apparu au fur et à mesure des années. Au début, ces retours estivaux étaient principalement animés par une sorte d'obligation, pour faire plaisir à sa famille, puis peu à peu ils sont devenus un besoin personnel et même une nécessité. Il ne pense pas pouvoir être pleinement heureux en Australie sans faire des sortes de pèlerinages dans son village. Il ne se décrit pas comme australien, mais il ne se sent plus tout à fait français non plus. Ce qui le caractériserait davantage serait le terme de « français de l'étranger », un mix de plusieurs cultures, avec néanmoins toujours une base forte imprégnée par sa culture d'origine.

Un phénomène de double enracinement apparaît très souvent. À la fois une implantation réelle s'effectue dans le pays d'adoption, avec de nombreux facteurs d'ancrage comme la famille proche, les nouvelles habitudes, le foyer, le travail ; bref, toute une nouvelle vie construite au cours des dernières années. Et en parallèle persiste une culture personnelle intériorisée qui reste dynamique. Elle se traduit par les souvenirs, les références antérieures, une régression réconfortante, par exemple dans la préparation de mets chers à l'enfance et aussi dans des traces du passé encore bien présentes.

Combiner la culture d'origine et la culture locale

Afin de limiter l'impression d'avoir à choisir entre différentes cultures, le mieux est de réussir à les faire exister en soi avec harmonie à travers différentes démarches.

- ✓ Être localement implanté dans le pays d'accueil tout en perpétuant le lien avec le pays d'origine pour vous éviter des éventuels conflits de loyauté.
- ✓ S'investir dans des activités représentatives de votre pays d'origine (activités artistiques ou culturelles).
- ✓ Rejoindre des associations d'intégration de nouveaux arrivants.
- ✓ Maintenir la pratique de la langue d'origine en famille et des coutumes familiales et culturelles.
- ✓ Mettre en place des visites de la famille d'origine et des voyages dans le pays d'origine.

À travers une tentative d'équilibre entre deux ou plusieurs mondes juxtaposables, certains se considèrent citoyens du monde, jonglant parfois avec plusieurs nationalités. Le migrant dépasse les zones de turbulences issues de la confrontation culturelle pour recréer une zone d'équilibre interne propice à la créativité et au renouveau, avec la confiance d'en ressortir enrichi.

On fait le point...

1. Qu'est-ce qui vous séduit dans le nomadisme ?
2. De quelle origine culturelle vous reconnaissez-vous ?
3. Comment avez-vous vécu les différentes étapes du choc culturel ?
4. Comment avez-vous vécu les périodes de transition lors de votre installation ?
5. Qu'avez-vous intégré en vous des nouvelles cultures que vous avez côtoyées ?
6. En quoi votre identité est-elle devenue mosaïque ?

Chapitre 3

Des défis émotionnels à relever

« La plupart du temps, l'esprit émotionnel et l'esprit rationnel fonctionnent en parfaite harmonie, associant leurs modes de connaissance très différents pour nous guider dans le monde qui nous entoure. »

Daniel Goleman[1]

S'installer à l'étranger, c'est non seulement une évolution personnelle et la rencontre d'une autre culture, mais c'est aussi prendre en compte de nombreux sentiments complexes qui s'éveillent. Quitter son pays renvoie aux idées de départ, de fin et de séparation avec des habitudes, un lieu, un environnement et des proches. Cela renvoie également à des projets, à des désirs, des envies, des espoirs, des peurs et des angoisses. Une page se tourne avant d'en ouvrir une autre. Cela peut être à la fois exaltant et déroutant ! Un important voyage émotionnel s'opère alors.

1. Daniel Goleman, *L'Intelligence émotionnelle*, J'ai lu, 1997.

Gérer la question des départs et des retours

L'expatriation implique une idée de départ et le fait de devoir quitter sa terre et ses proches. Gérer le départ est souvent un moment difficile dans bien des aspects et pour différents protagonistes ; ceux qui partent et ceux qui restent. Ensuite vient le temps de l'installation dans cet ailleurs, promesse d'un nouveau chez soi. Quand le là-bas se mue en un chez-soi, le pays d'origine devient le lointain. Parfois, des retours saisonniers font fonction de piqûres de rappel affective, culturelle et familiale, jusqu'au prochain départ.

Quand vient le temps du départ

Avant de prendre la décision de s'installer dans un autre pays, une phase de questionnement a lieu pour évaluer les avantages de l'expérience. Il s'agit alors de mesurer **la disposition personnelle** de chacun à la mobilité internationale. Jean-Luc Cerdin[1] évoque la possibilité d'un « gène global » qui prédisposerait certains à vivre une expérience internationale. En réalité, plusieurs facteurs interviennent dans la décision de s'implanter ailleurs : la représentation que l'on se fait du futur espace de vie, la situation professionnelle et personnelle sur place ainsi que la résistance personnelle au changement et à la migration.

Une fois que la décision de s'expatrier a été prise, il est nécessaire de **l'annoncer à son entourage**. Cela correspond bien souvent à une première épreuve. Les réactions des proches peuvent être variées et imprévisibles. Chaque mot porte une force émotionnelle plus importante, ce que les proches ne soupçonnent pas toujours. Les

1. Jean-Luc Cerdin, *S'expatrier en toute connaissance de cause*, Eyrolles, 2007.

appréhensions et l'anxiété face à un tel projet peuvent rendre l'individu plus vulnérable et aussi plus susceptible. Les réactions des proches peuvent en fait refléter leur propre inquiétude et le témoignage maladroit de leur attachement.

Céline raconte comment elle a vécu les réactions des proches lors de l'annonce du départ : « À l'annonce de notre départ, nous n'avons eu que des réactions positives et du soutien de la part de nos proches. C'est plutôt pendant la période de réflexion qui a précédé la prise de décision que les réactions des uns et des autres étaient parfois énervantes. Je suis une personne très rationnelle, j'avais besoin de réfléchir à tout et de me renseigner sur les choses les plus terre-à-terre avant de décider de quitter le confort d'une situation bien établie pour l'inconnu. À cela, mes proches répondaient sans arrêt : "À ta place, je le ferais sans hésiter." Je ne pouvais plus entendre cette phrase, surtout parce qu'elle était totalement fausse. J'avais conscience que c'était une opportunité incroyable, mais entendre ça de la part de certaines personnes qui n'avaient jamais quitté leur région malgré les opportunités, je ne pouvais plus. »

Parfois, c'est la représentation de la vie d'expatrié qui peut conduire à certains préjugés. Des stéréotypes sont véhiculés et il n'est pas toujours facile de les démystifier. On trouve par exemple la représentation caricaturale du Français de l'étranger, grand fortuné jouissant d'une vie luxueuse, profitant des nombreux privilèges offerts par l'entreprise, en ayant une attitude quasi colonialiste et hautaine tout en restant à l'écart de la réalité de la vie des locaux. Même si cette situation peut exister, la majorité des migrants français ne s'y retrouvent pas. Nombreux sont ceux qui se débrouillent seuls et les difficultés d'adaptation sont souvent sous-estimées.

Céline poursuit : « Les États-Unis font rêver, la Californie encore plus. Tout le monde a un *a priori* sur le pays, la faute aux films et séries télévisées dont on est abreuvés. Du coup, il est parfois difficile de faire comprendre à ses proches certaines difficultés comme des choses simples de la vie de tous les jours. Lutter contre les préjugés est parfois difficile. À cause de cette image idyllique ancrée dans l'imaginaire collectif, il est aussi difficile de faire comprendre que la vie quotidienne dans ce pays a des côtés négatifs. »

Pour marquer le départ, une fête est parfois organisée. Pour le migrant, il s'agit alors de consacrer une place à un rituel qui marque la fin d'une période. Au moment même où les actions à mener peuvent paraître étourdissantes, entre ce qu'il est nécessaire de faire pour le départ et ce qu'il faut prévoir pour l'arrivée, le pot de départ représente une pause symbolique. Pendant le laps de temps de la célébration, les ressentis émotionnels et affectifs peuvent s'exprimer. Avec humour ou émotions, les inquiétudes et les plaisirs anticipés peuvent être partagés. Il s'agit alors de faire une pause dans un agir (faire) pour vivre l'instant présent (être). C'est aussi la possibilité d'exprimer le désir de conserver un lien et de maintenir la relation affective avec ses proches. La fête de départ est ainsi une formidable opportunité pour laisser une place émotionnelle dans les relations qu'une pudeur partagée masque parfois.

S'ensuit le temps de l'installation

Quand le déplacement est pris en charge par l'entreprise, un **voyage de reconnaissance** peut être organisé pour permettre au salarié transféré, et éventuellement aussi à sa famille, d'aller à la rencontre de son futur cadre résidentiel. Il peut ainsi confronter l'image virtuelle et préconçue à une réalité objective. Une connaissance plus approfondie du lieu limite les risques de désillusion et de déconvenue. Si les attentes sont réalistes et conformes au futur cadre de vie et de travail, les risques de dissonances seront atténués et l'adaptation en sera facilitée.

> Lorsque nous sommes partis nous installer en Corée du Sud il y a dix ans, mon mari est venu travailler un mois sur place et la société américaine qui l'employait avait pris en charge un déplacement d'une semaine pour que je vienne me rendre compte par moi-même de ce qui nous attendait. Durant les treize heures de vol qui séparent Paris de Séoul, j'ai eu la chance de faire la connaissance d'une Française vivant dans la région depuis quelques années. Elle m'a non seulement informée des aspects pratiques concernant la vie sur place, me donnant de précieux renseignements, mais nous avons également échangé nos contacts. Connaître déjà quelqu'un dans un endroit qui m'était encore totalement inconnu m'était très réconfortant.

Pour faciliter l'expatriation, certaines entreprises font appel aux services d'une **société de « relocalisation »**. Leur rôle relève de l'assistance et de l'accompagnement en termes de conseils et d'organisation. Cela peut concerner l'obtention de documents officiels, la recherche du domicile, des écoles ou d'un travail pour le conjoint. Certaines sociétés proposent même des formations interculturelles qui permettent de découvrir les us et coutumes du pays ainsi qu'un enseignement de la langue locale. L'objectif est de faciliter l'intégration du migrant. L'intérêt pour les entreprises est d'alléger les contraintes administratives et fonctionnelles du salarié afin qu'il soit le plus rapidement possible opérationnel. Pour l'expatrié, un des avantages majeurs de ce service est de pouvoir éviter les faux pas. Très souvent, malgré les renseignements glanés dans les livres ou sur Internet, il manque la connaissance réelle de la vie sur place. Les agents des services de relocation sont généralement des locaux qui guident avec une vision plus concrète et pragmatique.

Le **déménagement** représente une sorte de cataclysme pour l'individu qui touche tout d'abord le lieu de résidence. Le départ du foyer signifie quitter un espace rempli de souvenirs. Un repère géographique connu est lâché et un autre, nouveau et différent, est à reconstruire. S'ajoutent à l'aspect émotionnel du départ des questions plus pratiques. Il faut trier, choisir ce qui est jeté, conservé, ce qui est laissé et ce qui est emmené. Une valeur est ainsi posée sur les objets allant de l'indispensable au superflu. « Faire ses cartons » implique un positionnement de conservation ou de renoncement. Une certaine confusion peut accompagner ce travail émotionnel d'appréciation et de hiérarchisation des biens, labélisés comme essentiels, à conserver, à reléguer ou à délaisser. Le futur migrant peut se retrouver saturé par tant d'affects et de souvenirs qu'il lui est alors difficile de différencier l'utile du futile. Devant l'ampleur de la tâche, il n'est pas rare de ressentir un profond abattement, qui s'ajoute au stress et à la fatigue physique. À force de déménager, certains développent davantage d'efficacité et de pragmatisme dans les procédures, se détachant peu à peu du sentimentalisme des objets.

Parfois ont lieu des retours saisonniers

Les retours en France le temps des vacances représentent une sorte de pèlerinage affectif qui permet à la fois de se ressourcer, de ranimer les souvenirs et de faire des ponts entre la vie d'avant et celle du présent. Ils permettent également une transmission culturelle et identitaire vis-à-vis des enfants. Ces séjours sont la possibilité de retrouver tout un ensemble de plaisirs qui manquent lors du séjour à l'étranger. Les goûts et les saveurs sont souvent ce qui vient en premier lieu, notamment en ce qui concerne les nourritures de l'enfance. Faire les courses se transforme en une sorte de recueillement. En même temps, c'est constater l'évolution de soi et de l'environnement. Le regard du migrant sur les choses s'est modifié. Ce qui semblait auparavant normal peut dorénavant surprendre.

Philippe explique : « Expatriés à Dubaï, nous sommes une famille franco-suédoise face à un challenge pour nos filles : comment garder et développer leurs racines d'origine, étendues à deux pays, dans une ville comportant plus de 180 nationalités venues de tous les coins de la planète ? Pour nous, parents, le retour annuel lors des vacances est un élément essentiel permettant de répondre à ce défi. Le retour permet aussi de continuer à construire un lien familial mis à mal par de longues absences et par la frustration inhérente à la distance et au manque de communication que ne peuvent vaincre des outils tels que Skype ou les réseaux sociaux. Le lien avec les grands-parents est évidemment primordial, mais aussi avec les cousins, les amis chers, si bien que les retours prennent toujours la forme de marathons ponctués de visites. Il permet aussi de répondre pour nous au problème de la langue. Comment conserver deux langues dans un contexte purement anglo-saxon ?

Le contexte familial ne suffit pas et l'immersion totale et régulière dans le bain linguistique d'origine est primordiale. Le retour dans les pays d'origine est à ce titre un *« must do » (...)* Le retour, s'il permet de se replonger dans notre vie antérieure, comporte aussi des risques. On mesure ainsi comment les choses ont changé, les gens également, avant de réaliser que nous aussi nous avons changé... Il en résulte une impression désagréable d'être étranger en notre propre maison, sentiment parfois difficile à gérer. »

Ces voyages de retour sont principalement le moyen de retrouver la famille et les amis. Cela permet de maintenir une place au sein de la tribu familiale et amicale tout en affirmant les liens et en se créant des souvenirs. Mais ces retours espacés dans le temps peuvent également faire réaliser de part et d'autre le temps qui passe, ce qui souligne l'absence. Les signes de vieillissement des grands-parents peuvent être plus flagrants, tandis que les enfants grandissent par à-coups.

Il s'agit souvent de rentabiliser au maximum le temps du séjour. Les déplacements à l'intérieur du pays peuvent être nombreux afin de pouvoir rendre visite à tout le monde. Le programme estival devient vite très chargé, avec des choix délicats qui risquent de créer certaines tensions et des contrariétés chez les proches. Le logement sur place peut également être un sujet épineux lorsqu'il est nécessaire de se loger chez les parents, les beaux-parents ou les amis. Ne plus avoir de chez-soi dans son pays peut souligner que dorénavant il n'existe plus de place propre clairement définie.

Il arrive que l'on parte plusieurs fois

Quand les départs se succèdent, le processus de l'installation dans un ailleurs se réitère plusieurs fois. Une autre culture et éventuellement une autre langue sont encore à apprivoiser. De nouveaux efforts d'adaptation et d'acclimatation sont à mener, accompagnés parfois d'une lassitude et du désir de pouvoir poser ses valises pour de bon.

Amanda parle de l'impact de ses déménagements successifs : « Vivre plusieurs expatriations, c'est être de partout et de nulle part. J'ai vécu de nombreux déménagements dans ma vie française. Déjà, quand on me demande d'où je viens en France, j'ai du mal à répondre. Ensuite, je me suis installée quatre années aux États-Unis, deux années en Europe, puis retour aux États-Unis. Le côté positif, c'est que l'on apprend à faire des cartons bien étiquetés et que l'on a des amis dans le monde entier. Le côté négatif, c'est qu'il faut tout refaire de zéro chaque fois, comme le médical, le scolaire pour les enfants, le repérage des lieux, etc. »

Cette capacité à pouvoir gérer des changements constants, à trouver chaque fois plus rapidement ses marques, à faire preuve d'une grande souplesse relationnelle et adaptabilité, de posséder une tolérance à l'imprévu et à la nouveauté, tout cela constitue les caractéristiques propres du multi-expatrié. L'environnement pouvant évoluer et se transformer à tout moment, il apprend à s'attacher et à se détacher naturellement, tant des choses, des cadres de vie que des relations. Il butine parfois les cultures plutôt qu'il n'y s'enracine vraiment. Le processus du cycle d'adaptation devient aussi familier.

L'individu connaît et anticipe les différentes étapes d'ajustement qu'il va endurer. Il s'y prépare et les traverse avec moins d'anxiété car il sait qu'un retour à la normale ne manquera pas d'arriver.

Dominique explique : « Les premières expatriations ont été plus difficiles car je n'avais pas encore accepté les cycles d'adaptation que par la suite je percevais autrement, et je ne luttais plus contre ça. Passé l'enthousiasme du premier mois où tout est nouveau, après c'est une période de petite déprime où l'on se sent seul, mais après tout va mieux. Après dix expatriations, j'ai appris. Ces moments de tristesse existent toujours, mais je sais que ça ne dure que quelques mois, donc j'attends le moment où l'envie de faire des efforts et d'aller vers les gens revient. La multi-expatriation m'a permis de ne plus ressentir le stress de se dire : "Je ne vais pas m'en sortir", car je sais que ça va passer. Du coup, les moments de cafard passent beaucoup plus vite aussi. »

Pour les enfants nomades ayant connu les multi-expatriations comme unique repère de vie, l'identité mosaïque n'est que plus renforcée, devenant même la colonne vertébrale centrale de ce qu'ils sont et de la façon dont ils interagissent avec le monde. La vision du monde et des cultures est influencée par ce vécu d'adaptation récurrente. L'ailleurs ne constitue pas un flou opaque, mais une possibilité.

Puis le temps des retours définitifs approche

L'arrêt de l'expérience internationale marque une nouvelle étape. Ce retour vers le pays d'origine peut être prévu, inattendu, imposé par des impératifs professionnels ou personnels ou bien né d'une décision familiale concertée et souhaitée. On parle « **d'impatriation** » pour désigner ce retour vers le pays d'origine qui exige de la part du migrant d'avoir à nouveau à s'adapter dans un pays se voulant être celui de sa culture et de ses origines et censé lui être familier.

Ce supposé « retour » peut être vécu difficilement. Après une période de vie à l'étranger, riche en expériences et en découvertes, les perceptions et les impressions sont modifiées chez l'individu. S'il n'y a pas eu de fréquents retours saisonniers, le choc n'en sera que plus important. Les lieux naguère familiers ne sont plus tout à fait les mêmes. Certains migrants ne réalisent pas immédiatement l'effort qu'implique le fait de devoir se réapproprier un espace antérieurement maîtrisé, où les repères ne sont plus identiques. Les proches ont également traversé certaines épreuves et des expériences de vie ont affecté leurs comportements. Les habitudes d'autrefois ayant été altérées, le migrant peut peiner à retrouver une certaine routine. Il est devenu une sorte d'hybride culturel, fruit du métissage de plusieurs expériences intégrées en soi. Il n'est plus celui qu'il était avant son départ et il ne sait pas forcément ce qu'il sera dorénavant. Bernard Fernandez[1] évoque « la recherche d'un équilibre entre ce que j'étais, ce que je suis devenu et ce qui est » qu'il associe à une sorte de mue.

Le « choc culturel inversé » est l'expression qui traduit l'impact des modifications de l'environnement autrefois sien pour le migrant de retour. Tout un processus de réadaptation au pays d'origine se met alors en place pour retrouver objectivité, acceptation et stabilité. Le retour ressemble alors à une nouvelle expatriation dans son propre pays d'origine.

Le choc du retour est non seulement inattendu, mais il va souvent à l'encontre de ce qui était présagé, c'est-à-dire un retour dans le

1. Bernard Fernandez, *Identité nomade*, *op. cit.*

réconfort du connu. Une curieuse impression de ne plus vraiment appartenir à son pays d'origine apparaît.

Rolland, après une quinzaine d'années passées en dehors de France, n'a pas pu rentrer : « Pour moi, le choc culturel a été le choc du décès de proches au pays et le sentiment d'être incompris et non intégré dans mon pays d'origine, ainsi que de mon côté le manque de motivation pour me réadapter. J'ai alors pris la solution de facilité et je suis reparti vivre à l'étranger ! Je ne fais que de brefs séjours en France comme touriste et pour voir mes proches. Cette situation est pour l'instant satisfaisante et me permet un équilibre afin de ne pas couper entièrement mes liens d'origine, et en même temps de pouvoir travailler et vivre de la façon qui me correspond. »

Des sentiments complexes de frustration, de solitude et d'insatisfaction peuvent s'installer, accompagnés d'une nostalgie pour le pays d'expatriation. Avec la distance, certains réalisent les avantages et les aspects positifs qui existaient dans le pays qu'ils viennent de quitter. Une forte ambivalence peut être fréquemment ressentie. Certains migrants se retrouvent partagés entre, d'une part, la satisfaction de retrouver leur culture d'origine et leurs proches et, d'autre part, les regrets de quitter une culture d'adoption et de nouveaux amis.

Sur le plan professionnel, il arrive parfois que le migrant ressente l'impression de ne pas être attendu par l'entreprise à l'origine du transfert ni d'être valorisé par l'expérience internationale. Nombreux sont les salariés anciens expatriés qui quittent leur entreprise dans les deux années de leur retour à cause d'une réintégration mal préparée. Parfois, c'est l'environnement professionnel dans son ensemble qui déçoit. Les niveaux hiérarchiques semblent plus nombreux et la machine bureaucratique plus lourde. Un changement d'entreprise permet alors pour certains de retrouver un souffle nouveau. Malheureusement, même dans la quête d'un nouvel emploi, les bénéfices de l'expatriation ne sont pas toujours mis en avant par les recruteurs.

Pour les enfants, en fonction de leur âge, quitter le pays qui nécessita des efforts particuliers d'adaptation peut être source d'une grande souffrance, surtout quand le réseau amical s'est constitué et que la scolarité locale y a été faite. Rentrer dans son pays d'origine peut paraître inadéquat lorsqu'ils ont eux-mêmes passé davantage d'années à l'étranger ou qu'ils y sont même parfois nés. Pour eux, « rentrer » dans ce pays qu'ils connaissent peu ou pas peut constituer en réalité de leur véritable expatriation, avec de nombreux défis scolaires et sociaux à surmonter.

Une fois rentrés, **la maison du nomade** témoigne des traces laissées par l'interculturalité. Bien souvent, les souvenirs d'expatriation y sont présents comme des rappels affectifs explicites. Des posters, des collections ou bien des objets ethniques constituent une évidence que la vie à l'étranger fait dorénavant partie de l'identité familiale. De même des coutumes ou des traditions empruntées aux différents pays de migration peuvent rejoindre celles héritées par les parents. La cellule familiale qui rentre au pays possède à cet instant une coloration unique et originale, fruit des différentes cultures incorporées par le vécu dans des pays étrangers.

Mieux préparer son retour

Pour que le retour soit réussi, une période d'acceptation de fin de la vie d'expatrié s'avère nécessaire, avant même le retour effectif. Il s'agit de préparer le départ : que veux-je ramener ? Que me reste-t-il à faire ? Que puis-je organiser pour quitter mes nouveaux amis ?

Un bilan des acquis personnels et professionnels permet de clarifier les bénéfices de l'expérience internationale : qu'ai-je appris avec cette expérience ? Quel savoir ai-je développé ? Comment ai-je évolué ?

Il est ensuite important d'anticiper les aléas du retour en prévoyant ce qui peut être nécessaire pour sa réinsertion et celle de sa famille : de quoi ai-je besoin ? Comment puis-je anticiper l'installation ? Qui peut m'aider ?

Définir clairement les projets personnels et professionnels une fois rentré permet de maintenir une idée de continuité de vie : qu'ai-je envie de réaliser maintenant ? Comment puis-je m'y prendre ? Comment lier mon expérience à mes projets ?

Pour tous, l'expérience internationale fait évoluer. Le retour n'est pas un retour en arrière. Au contraire, on poursuit son cheminement en avant, vers une nouvelle étape à inventer et en étant toujours acteur de sa mobilité.

Apprendre à gérer son stress

La situation d'expatriation impliquant séparations, changements, ajustements et efforts, il en découle un stress conséquent. Les principales sources de stress de l'expatrié sont les démarches administratives, les difficultés de maîtrise de la langue locale, l'intégration sociale, mais également l'éloignement familial. En fonction des pays ou même de la situation émotionnelle, familiale et conjugale de chacun, ce stress peut prendre une ampleur considérable.

Origine et manifestation du stress

Le stress est un ensemble de réactions neurophysiologiques et psychiques déclenchées par la présence d'événements menaçants. C'est une réponse mécanique primitive de l'organisme qui se trouve face à un danger. D'un point de vue physiologique, une accélération du rythme cardiaque se produit, la tension artérielle monte, le flux sanguin s'accélère, l'individu est alors prêt à fuir ou à combattre l'élément perturbateur. Au niveau biochimique, l'hypothalamus est activé, ce qui entraîne deux réactions. D'une part, le système nerveux produit un pic d'adrénaline afin de préparer l'individu à vite réagir. D'autre part, le cortisol est sécrété, ce qui donne à l'organisme un apport d'énergie pour agir. Lorsque la menace a disparu, l'organisme s'apaise et retrouve un fonctionnement normal.

Le stress peut avoir des effets bénéfiques. Endurer un stress émotionnel léger ou temporaire permet de relever des défis et est même source de motivation pour l'individu. C'est alors un stress positif qui joue sur l'excitation et la stimulation. Il permet de mobiliser toutes les ressources de l'individu. Lorsque le stress devient chronique en revanche, l'organisme puise son énergie au-delà des réserves courantes. Cela provoque une hausse des taux de glucose, de triglycérides et de cholestérol dans le sang qui peuvent favoriser l'apparition de maladies cardiovasculaires. L'hypothalamus est également suractivé, ce qui entraîne une augmentation des réactions anxiogènes et dépressives, ainsi qu'une dégradation de la mémoire et des capacités d'apprentissage. L'organisme global s'épuise et devient moins résistant. Psychologiquement, c'est un syndrome d'épuisement général qui apparaît, dénommé « burn-out ». Les préoccupations sont alors obsédantes, teintées d'angoisses et de frustration, la fatigue est physique, mais aussi émotionnelle, avec démotivation, insatisfaction, réactions émotionnelles disproportionnées, perte de mémoire et troubles du sommeil. Le stress chronique ne permet plus la fuite ou la défense, mais place au contraire l'individu dans une sorte de paralysie.

Carine parle de ce quotidien difficile qu'elle vit : « Une fois sur place, tout est dur ! La barrière de la langue, comment faire pour les assurances, où aller acheter une voiture, un forfait mobile. Mon Dieu, tout était si simple en France ! Qu'est-ce qu'on est venu "f..." ici !!! Je suis étonnée du peu de soutien de la part de la boîte de mon mari. OK, on nous a aidés à trouver une maison, mais après ? Complètement largués... C'est le grand désarroi ajouté à la fatigue. »

On évoque un « épuisement cognitif » pour décrire l'attention et la concentration assidue que doit fournir le migrant lorsqu'il s'adapte à une autre culture. Un panel de sentiments et de réactions source de stress s'éveille : un effort constant requis dans la compréhension linguistique et culturelle, des défis professionnels, la peur du rejet et des maladresses, la peur de l'échec, un sentiment de perte des repères et de confusion, une nostalgie et également un sentiment de vulnérabilité teinté d'agacement et de frustration. On peut également constater un sentiment d'abandon, une peur pour la sécurité et la santé, une inquiétude exacerbée pour la famille, un sentiment de profond déracinement ainsi qu'une sensibilité à fleur de peau.

Les stratégies pour lutter contre le stress de l'expatriation

Pour réduire l'impact anxiogène et souvent écrasant des tracas sources de stress, le migrant peut adopter différentes stratégies. La principale est la possibilité de garder un contrôle, aussi infime soit-il, sur la situation anxiogène. À l'inverse, l'impression d'être passif et sans possibilité d'agir contribue à l'installation d'un stress chronique.

La position de victime passive augmente la frustration et l'impuissance qui sont deux éléments majeurs de la situation d'impasse conduisant à l'épuisement.

Des solutions non efficaces sont parfois trouvées qui font davantage office de palliatif. Il s'agit de l'abus de médicaments du type tranquillisant ou bien la prise démesurée de substances comme l'alcool, les cigarettes ou les drogues. De façon générale, un comportement boulimique tourné vers les excès, qu'ils soient alimentaires, sexuels, festifs, mais aussi professionnels peut correspondre à un désir de fuite ou de dénégation quant aux problèmes rencontrés. Au final, cela n'engendre que plus de stress, ce qui peut être fatal pour l'expérience globale de l'expatriation, pour le couple, pour la famille ou pour le migrant lui-même. Un comportement immature avec abandon de certaines responsabilités, notamment financières, peut apparaître, ainsi qu'un manque d'écoute quant à ses besoins physiques de repos et d'équilibre alimentaire.

Il existe des solutions plus efficaces de régulation du stress qui touchent directement les causes. Face à chaque difficulté, il s'agit de trouver les informations, le soutien et les actions susceptibles d'apporter une solution pertinente. Par exemple, dans le cas d'un souci de logement, de santé ou de scolarité, des associations d'aide à l'accueil, des professionnels francophones, des relations amicales ou professionnelles peuvent apporter une contribution non négligeable.

Les techniques d'adaptation

Pour s'adapter au pays d'accueil et faire face au stress qui en résulte, il est possible de s'appuyer sur la méthode du « *coping* ». Le terme de *coping* provient du verbe anglais signifiant « faire face ». L'individu, de façon proactive, recherche une conduite efficace pour maîtriser ou diminuer l'impact de l'expatriation sur son bien-être général.

Le coping centré sur le problème tend à réduire les conditions environnementales stressantes. De cette façon, une organisation est mise en place avec un plan d'action afin d'améliorer la situation. **Le coping centré sur l'émotion** tend à réduire les effets du stress. Il s'agit de gérer la détresse émotionnelle par une plus importante prise de recul tout en essayant de reformuler la situation sous un autre angle.

C'est en combinant ces deux types de stratégies, à la fois directement sur la source du stress, mais aussi sur la résonance interne de ce stress, que l'individu arrive à réduire son anxiété et à se montrer plus efficace.

Pendant l'expatriation, il est nécessaire d'être attentif à l'apparition de signaux, qu'ils soient somatiques (troubles du sommeil, maux de tête, troubles gastro-intestinaux, douleurs dorsales ou dentaires en sont les plus fréquents) ou psychologiques (découragement, démotivation, manque d'énergie, pensées noires). Une tentative d'analyse objective de la situation permet d'identifier avec plus de précision l'élément précis source d'inquiétude. Le renforcement de l'estime de soi permet également de mieux gérer le stress. C'est alors un travail de clarification identitaire et de reconnexion avec soi-même qui s'effectue : est-ce si important de se mettre dans un tel état d'anxiété pour cela ? Qu'est-ce qui m'importe le plus ? À quoi ai-je réellement envie de consacrer mon énergie dans ma vie ? Cette prise de recul permet d'améliorer un retour à un état de pleine conscience de ses valeurs, de ses désirs, de ses besoins et de ses objectifs.

Rosalie raconte : « Quand il a été question, il y a six ans, de quitter la France et de venir habiter au Mexique parce que mon mari y avait une opportunité professionnelle, j'ai suivi à reculons.

Ne parlant pas espagnol, je me voyais mal trouver du positif pour moi dans cette aventure. Et déplacer les problèmes familiaux préexistants sous le soleil ne les fait pas disparaître... Les quatre premières années ont été difficilement vécues par mon mari comme par moi-même, avec des retentissements sur les enfants. Les deux années qui ont suivi m'ont permis de reprendre mes esprits et de me demander si je voulais vraiment vivre au Mexique. Après un long travail sur moi, j'ai pu mettre en place des projets professionnels, profiter de mes amis, d'une meilleure connaissance des lieux et de certains avantages offerts par la vie mexicaine. J'ai alors changé ma manière de voir ma vie ici, avec plus d'excitation pour commencer enfin des projets de vie pour moi, sans être juste présente pour mes enfants ou accompagner mon mari. Depuis, je me suis posée, j'ai exploré plein de choses et je ne voudrais pas retourner en France maintenant alors que j'aurais tout laissé allègrement tombé il y a quelques années pour rentrer. »

Rosalie a réussi à oublier son amertume initiale issue d'un manque de préparation à la vie à l'étranger. Les regrets des acquis originels ont laissé la place à un plus grand épanouissement. Pourtant, nombreux sont ceux qui n'arrivent pas à chasser les regrets, sombrant dans un mal du pays douloureux ou même une dépression.

Canaliser le stress en expatriation

Avant le départ, informez-vous sur la situation locale et évaluez sa position quant au projet. Est-ce un désir personnel ou est-ce une décision résignée et subie ? Quelle raison motive le départ ? Est-ce un désir de fuir une situation ?

Sur place, déterminez les facteurs anxiogènes extérieurs présents dans l'environnement et trouvez des stratégies pour réduire les situations où l'on doit y faire face.

- ✓ Déterminez le décalage entre ce qui est recherché et la réalité. Trouver un compromis permet de mieux accepter la situation et d'être moins enclin à la frustration.
- ✓ Réduisez les effets de stress en vous en mettant en place des « zones de stabilité ». Ce sont des moments de pause dans les efforts d'adaptation. L'écriture d'un journal personnel ou d'un blog peut contribuer à mettre des mots sur les émotions ressenties dans certaines situations. Consacrez un temps à la détente et à la relaxation.
- ✓ Maintenez des contacts sociaux par l'utilisation des réseaux sociaux, par l'intégration dans des associations ou bien par la pratique d'activités et de loisirs.

Quand le stress devient trop important, ne pas hésiter à faire appel à une aide professionnelle.

Les souffrances de l'altérité

Le stress subi lors de l'installation à l'étranger peut rapidement devenir psychiquement insurmontable. Les changements que l'individu endure peuvent également réveiller certaines blessures qui ne fragilisent que davantage une identité déjà bien malmenée par la perte de repères externes et internes. Une souffrance identitaire peut parfois être présente avant même le départ à l'étranger. L'expatriation a alors comme effet d'accentuer ces éventuels déséquilibres personnels et identitaires. Les conséquences, positives ou négatives, seront d'ordres psychiques, comportementaux ou somatiques. Des troubles de la personnalité, des régressions, des comportements d'évitement ou bien des troubles somatiques peuvent représenter des souffrances propres à l'altérité. Même si l'expatriation peut être un formidable tremplin pour une réalisation personnelle, elle reste néanmoins une démarche qui peut être coûteuse pour le psychisme.

Nostalgie, quand tu nous tiens !

L'un des problèmes majeurs de l'expatriation est le mal du pays qui peut ronger l'expatrié. En anglais, on appelle ce mal du pays « *homesickness* », ce qui traduit bien l'idée d'être malade du manque de chez-soi. Les pensées se cristallisent dans le passé au détriment d'un présent sous-investi. Il s'agit d'une nostalgie pour le pays d'origine, pour la culture et pour tout un pan d'une familiarité perdue. Avec une certaine dose d'idéalisation du passé, les événements y sont transformés et parfois même embellis. On parle alors du « bon vieux temps ». Les vertus y sont parfois exagérées, les défauts atténués. La nostalgie n'est pas le témoin du vrai, mais d'une émotion qui fait du bien. Comme la madeleine de Proust, une odeur, un goût ou un parfum renvoient à des sensations agréables venues d'avant. Des « petits riens » peuvent porter une forte charge émotionnelle et réveiller de nombreux souvenirs de l'enfance représentant tout un pan identitaire.

Jacques parle de la place de la nostalgie dans son expatriation : « Ma nostalgie s'exprime pour la Lorraine, et moins pour la France. On me demande ce que je souhaite me voir offrir de France lorsque visite m'est rendue. Je réponds de moult choix lorrains, mais uniquement de moutarde Amora pour ce qui est du reste de l'Hexagone. Cependant, il y a quelque chose de plus profond. J'aime voir quelques films français dans les long-courriers, avec plus ou moins de satisfaction, et je me jette sur la presse française dans chaque salon d'aéroport.

C'est ma culture qui ressort, et, face au choc de l'expatriation, résiste. Mon épouse déclare souvent : "Ne rentrons jamais en Europe !" Sa nostalgie pour la Pologne, son pays, est faible. Il m'arrive de devoir la relancer sur la recherche de cours de polonais pour les enfants, comme si le lien avec nos racines m'importait davantage. Dans tous les cas, il est une influence majeure qui nous aide dans la navigation ambiguë de l'expatriation. »

Ce que l'individu retrouve dans son passé, ce sont des repères, une sorte de cartographie de son parcours de vie qui l'emmènent jusqu'à ce présent à trous où se sont immiscés des doutes, des manques, de l'inconnu et des incertitudes. Le présent est en partie décevant avec un passé idéalisé qui fait écho aux carences et aux absences du présent. Le passé peut également être un voyage vers une régression réconfortante.

Les périodes nostalgiques peuvent apparaître de façon encore plus accrue à certaines périodes. Certaines circonstances réveillent le manque et l'absence du perdu. Que ce soit épisodiquement lors de fêtes traditionnelles ou bien lors d'événements familiaux, la nostalgie agit alors comme un déclencheur de regrets des temps passés, des lieux disparus, et des proches éloignés. Le mal du pays poussé à son excès se traduit aussi par des problèmes émotionnels comme des ruminations mentales, un manque d'entrain et de motivation ou bien un isolement social qui peut donner lieu à des troubles psychiques plus importants. Le repli nostalgique peut atteindre un stade plus préoccupant lorsqu'il devient excessif ou lorsqu'il s'installe dans la durée. Celui-ci s'exprime sous plusieurs impressions : un sentiment de perte, une solitude, un sentiment de discontinuité existentielle, une peur de l'inconnu parfois angoissante, un sentiment d'impuissance, une impression de perte de contrôle sur les situations, un sentiment d'incompréhension et d'errance, un sentiment de changement de soi avec de nouveaux rôles attendus tant au niveau professionnel que social ou familial et qui touche à l'identité.

Et si les motivations au départ étaient plus complexes qu'on ne le pense ?

Greg Madison[1] désigne sous le terme de « migrants existentiels » ceux qui décident volontairement de se lancer dans l'aventure internationale. Vivre à l'étranger représenterait l'expression d'un besoin fondamental pour eux. Partir proviendrait avant tout du désir de se reconstruire intérieurement en allant à la quête d'un soi plus en accord avec ce qu'ils sont vraiment. La volonté de fuir un destin supposé tout tracé est leur principale motivation. Le départ à l'étranger est alors un acte d'affranchissement et de créativité existentielle.

Certains partent en ayant comme motivation première un désir de découverte. Ils montrent ainsi une inclinaison pour la nouveauté. Paradoxalement, l'inconnu représente une terre de promesse fantasmée où ils pourraient enfin se sentir vraiment chez eux. La quête d'un idéal, fruit des projections personnelles, peut apparaître comme un phare qui les guide.

Quand partir est une quête

Le livre d'Elizabeth[2] Gilbert *Mange, prie, aime* décrit le type de voyages menés par certaines personnes qui aspirent à une vie plus équilibrée et plus en accord avec leurs valeurs. De cette façon, l'héroïne trouve dans un des pays où elle s'installe la satisfaction d'assouvir ses propres désirs, à savoir la découverte de la gastronomie italienne qui lui procure un grand plaisir, même si cela la fait grossir. Sa motivation est tournée vers soi et la →

1. Greg A Madison, *The End of Belonging*, CreateSpace Independent Publishing Platform, 2009.
2. Elizabeth Gilbert, *Mange, prie, aime*, Calmann-Lévy, 2008.

→

recherche d'une satisfaction épicurienne. Dans un deuxième pays, elle se lance dans une voie plus spirituelle par la pratique assidue de la méditation, ce qui lui permet d'être plus à l'écoute d'elle-même et des autres. Sa motivation est à la fois dirigée vers elle-même et vers les autres. Enfin, lors de sa dernière installation à l'étranger, l'héroïne a développé plusieurs relations socioaffectives, avec une motivation davantage axée sur l'ouverture et l'engagement affectif. À travers ces différentes étapes, d'abord soi, puis soi et les autres, et enfin le monde environnant, son voyage personnel a été complet, ce qui lui a permis de se lancer dans une relation sentimentale. En se découvrant elle-même, elle a appris à s'aimer et à aimer son prochain.

Leo et Rebecca Grinberg[1] relient la difficulté de s'implanter dans un nouveau pays à des conflits primitifs de la séparation non résolus. Reprenant la théorie de l'attachement de Bowlby qui décrit l'importance pour l'enfant d'être proche d'une personne référente source de soin pour réussir à se développer en sécurité, les auteurs expliquent que si l'enfant n'a pas établi dès son plus jeune âge un lien rassurant avec sa mère, il ne peut pas développer un sentiment de sécurité intérieure solide en grandissant qui lui permet d'effectuer ces détachements. Toute séparation future devient anxiogène, ravivant une angoisse d'abandon et une menace pour l'identité tout entière. Partir s'installer à l'étranger devient un événement traumatisant majeur qui peut mettre l'individu en danger.

Un travail de renoncement nécessaire à effectuer

L'une des premières épreuves que l'expatrié doit affronter, c'est de réaliser un travail de deuil de la vie d'avant pour accepter la part d'inconnu qui se présente à lui. Il faut réussir à mettre de côté une

1. Leo et Rebecca Grinberg, *Migration and Exile*, Yale University Press, 1989.

situation préalablement maîtrisée pour affronter le non-maîtrisé de la situation nouvelle.

Entre le moment du départ et le prélude de l'arrivée, une impression d'être dans une position similaire à celle d'un apatride peut aussi engendrer un sentiment de confusion et une mélancolie. Un sentiment d'insécurité intérieure, une solitude et la perte de repères peuvent naître. Il s'agit d'affronter réellement l'inconnu, réveillant de ce fait la « peur du noir » enfantine, source d'angoisse primitive. Partir, c'est ainsi faire le deuil d'une partie de sa vie et donc de soi. Or, en réalité, l'individu renonce pour mieux accueillir la nouveauté, dans un mouvement de gain plus général. C'est par la reconstruction d'un soi plus riche et plus complet que le mouvement en avant s'effectue. Le travail de deuil est en fait un travail de recouvrement et de réadaptation similaire à une convalescence puis à un rétablissement. La réaction des proches peut toutefois accentuer l'idée de perte.

Anne-Marie parle de l'expatriation qui a provoqué une interruption dans la relation fusionnelle avec sa mère, ce qui est semblable au travail de deuil de l'enfant qui s'émancipe : « L'une des difficultés les plus importantes a été de devoir laisser la famille et les amis, mais à 40 ans j'avais pour la première fois cette opportunité de couper le cordon avec mes parents. Le dernier dîner fut dur, d'autant que ma mère ne sait pas rester sans avoir de mes nouvelles tous les trois jours, donc forcément je culpabilisais à les laisser. Avec le recul, cette séparation m'a fait grandir, même à 40 ans ! »

Certaines personnes pourront se montrer hostiles, déçues, étonnées ou agressives avec celui qui part. D'autres, avec une attitude d'indifférence, peuvent accentuer l'impression de prématurément ne plus compter dans leur vie, de ne plus être déjà là. C'est ce que Leo et Rebecca Grinberg[1] indiquent comme étant le sentiment de n'être plus personne. Ils donnent l'exemple de cette personne qui croyait assister à ses propres funérailles au moment du départ en expatriation, chacun parlant d'un avenir dont elle ne ferait plus partie. C'est constater que la vie continue chez ceux qui restent, sans la présence de ceux qui partent. L'éventuelle illusion d'être indispensable et irremplaçable renvoie à une réalité de non-permanence. Partir s'apparente alors à expérimenter une petite mort. Le deuil touche la personne elle-même qui se vit comme un défunt aux yeux des autres, ceux qu'il quitte, et ceux pour qui il n'existe pas encore.

La différence peut faire mal au plus profond de soi

À ce sentiment de deuil s'ajoute une souffrance du sentiment d'altérité. L'expatrié peut souffrir de se sentir étranger et différent. Ce sentiment d'altérité touche l'environnement, l'identité et également les relations sociales. Le migrant peut se percevoir comme « à part ». Ce sentiment d'étrangeté concerne sa place dans le nouveau pays où, physiquement, la différence peut être clairement notable. Mais il peut aussi être un étranger pour lui-même. Certains s'efforcent tant et si bien de faire partie de cette nouvelle terre d'accueil qu'ils en développent, ce qui s'apparente à un faux self.

Enfin, l'expatrié peut également devenir un étranger pour ses proches. Influencée par une expérience de vie peu commune et peu partagée par ceux restés au pays, la distance émotionnelle vient renforcer la distance géographique. Les proches ne peuvent pas comprendre ce que l'expatrié vit. Un sentiment de frustration, de solitude et même de perdition apparaît de cette souffrance née de l'altérité.

1. *Idem.*

Julie aborde le manque de compréhension de ses proches pour sa vie supposée idéale : « Peu de personnes se figurent l'isolement dans lequel on peut être dans ma situation. C'est vrai après tout, on ne va quand même pas se plaindre sous le soleil de la Californie. Néanmoins, quand on ne travaille pas, que l'on n'étudie pas et que l'on habite en banlieue résidentielle, il est extrêmement dur de rencontrer des gens. Après plusieurs mois sur place, je ne me suis fait aucun ami et ça, très peu de gens le comprennent. Alors c'est vrai, la région est magnifique, mais je n'ai pas toujours envie de la visiter seule. Quant à tous ceux qui pensent qu'à ma place ils ne s'ennuieraient pas, ils se trompent. Ce n'est pas parce que c'est la Californie qu'il y a tous les jours des choses palpitantes à faire ou à voir. Je suis occupée toute la journée, ça ne m'empêche pas de m'ennuyer. Je pense que l'on ne peut vraiment comprendre que quand on a vécu la même situation. »

En cas de souffrance psychologique, certains symptômes classiques légers propres à la migration peuvent apparaître, comme le stress, le manque d'assurance, les doutes, un abattement psychique ou bien au contraire une grande excitation. À un stade avancé, les troubles de la personnalité qui peuvent naître de la migration sont des troubles de l'orientation, des troubles de l'humeur, une impression de vide intérieur, un sentiment de dépersonnalisation où l'individu ne se reconnaît plus, une nervosité, un repli sur soi, une difficulté à s'intégrer socialement, l'apparition de phobies ou une humeur dépressive. D'autres symptômes plus graves exigent une prise en charge rapide comme une profonde dépression, un comportement paranoïaque, des crises de panique et d'angoisse ou bien un désordre psychosomatique ou des risques suicidaires. Au niveau physique, des réactions somatiques peuvent également apparaître, notamment cutanées, allergiques, respiratoires ou cardiaques. L'individu se trouvant fragilisé par un stress excessif peut également déclencher certaines maladies plus ou moins graves, comme des ulcères, des cancers ou des infarctus.

Dominique parle de la saturation des déménagements multiples qu'il a ressentie et qui l'a conduit à adopter temporairement une attitude de repli sur soi : « À un moment de ma vie, je n'en pouvais plus d'arriver chaque fois quelque part, de tout construire, de se faire des amis, de trouver ses repères, et alors à nouveau de repartir et tout recommencer encore et encore. Nous restions toujours à peine un ou deux ans dans chaque pays alors qu'il faut au moins six mois pour se dire que l'on se sent bien quelque part. J'ai saturé pendant facilement quatre ou cinq mois où je ne voulais plus faire d'efforts. Je me suis enfermé sur moi-même. Finalement, les gens autour, ceux de l'école, sont venus me parler et ont forcé la carapace sous laquelle je me cachais, ce qui a été positif. »

Dans certains cas, notamment si l'expatriation se déroule dans des pays plus à risques, l'expatrié peut également vivre des situations potentiellement traumatisantes comme des agressions, des catastrophes, des accidents ou bien des actes de violence. Des troubles post-traumatiques peuvent alors apparaître comme une peur constante, une hyper-vigilance paranoïaque, des troubles du sommeil, un sentiment de stress et d'épuisement, ainsi qu'un repli social.

La mobilité internationale est un événement majeur dans la vie de l'expatrié. Non seulement la rencontre interculturelle représente un bouleversement certain sur l'identité, mais des troubles psychiques plus ou moins importants peuvent ébranler l'individu et sa famille mettant en péril le projet entier d'expatriation.

Lutter contre les souffrances psychologiques de l'expatriation

Pour lutter contre l'apparition de troubles psychiques, vous avez tout à gagner à trouver sur place une figure réconfortante pour vous accueillir, vous expliquer ce qui vous attend et vous aider dans l'installation et l'acclimatation. Une figure représentative d'un savoir culturel local peut rapidement devenir un lien rassurant et apaisant. Les services d'accueil communautaires, associatifs, professionnels, éducatifs ou religieux sont ainsi des supports émotionnels importants. Lorsque des troubles psychologiques s'installent, il devient indispensable de consulter des professionnels psychologues et psychiatres. S'il n'est pas toujours aisé de consulter sur place, des structures d'aide psychologique à distance comme la société Eutelmed[1] peuvent vous permettre d'obtenir un soutien partout dans le monde et dans votre langue maternelle.

Faire face aux épreuves de la vie en vivant loin

Des situations particulièrement éprouvantes peuvent également se produire chez les proches ou dans la famille, ou même chez l'expatrié lui-même, comme l'annonce d'une maladie grave ou un décès, qu'il va falloir gérer malgré des difficultés accentuées par la distance et l'absence.

1. www.eutelmed.com

Quand une maladie grave touche un proche

L'annonce d'une maladie grave chez un proche s'apparente à l'annonce d'une catastrophe qui vient bousculer de nombreux repères. Entre crainte et espoir, des émotions intenses émergent où se mêlent parfois des sentiments d'injustice, d'incompréhension, de révolte et de colère. Lorsque la distance géographique s'ajoute, la culpabilité d'être loin est ravivée. Une communication indirecte par e-mail ou téléphone est alors le seul contact possible. Les symptômes sont interprétés par celui qui doit les imaginer à défaut de pouvoir les constater. La difficulté de pouvoir s'en faire une représentation précise alimente l'angoisse. De plus, lorsqu'il y a dégradation, l'impuissance face à l'évolution de la maladie prend une dimension encore plus importante en vivant loin.

La qualité de la relation avec l'ensemble des proches est marquée par la maladie. Elle devient un élément perturbateur et quelquefois un vecteur unificateur dans les relations. Certaines fratries éloignées ou éparpillées à travers le monde se retrouvent au chevet, virtuel ou réel, du parent malade. Parfois, le malade ou son entourage proche préfèrent cacher la situation. Les raisons peuvent provenir de l'envie de préserver la famille éloignée d'une inquiétude supplémentaire, ou bien il s'agit d'une incapacité à reconnaître une réalité intolérable. Ne pas annoncer la maladie pour ne pas avoir à y faire face. Quand la nouvelle parvient jusqu'à l'expatrié, la situation peut être déjà dramatique. Un important sentiment d'exclusion peut alors naître chez l'expatrié, avec un arrière-goût de trahison.

En même temps, la distance préserve l'expatrié de la confrontation avec une réalité difficile. Il peut se positionner dans un registre plus intellectuel où il étudiera avec expertise la pathologie pour avoir la maîtrise médicale à défaut d'une action plus concrète. Par le biais d'une sorte de détachement de l'ordre du factuel et du rationnel, le flot émotionnel est géré. Certains se réfugient dans le déni, tentant de ne pas y penser. Pour d'autres, c'est un imaginaire plus catastrophique qui compense l'absence de réel avec des informations parfois violentes glanées sur Internet. Cet éloignement peut être vécu comme une chance ou comme une injustice par ceux sur place qui, à l'inverse, doivent affronter la réalité physique de la maladie.

Thomas témoigne de l'annonce de la maladie de ses parents : « Un an après notre emménagement à l'étranger, mes parents ont tous deux été diagnostiqués d'un cancer – cancer de la prostate et cancer du sein. Je ne m'attendais pas à ce qu'ils aient un problème de santé si tôt dans notre expatriation. Mes parents ont eu tendance à minimiser la gravité de leur maladie et de leur souffrance physique et morale pour ne pas nous inquiéter. Ils savaient que nous étions loin et que nous ne pouvions les accompagner qu'en prenant souvent des nouvelles. Il nous a du coup été difficile de juger s'il fallait prendre un congé et revenir en France pour les soutenir en personne et les revoir au cas où la maladie les emporterait. Mes parents ont ainsi attendu plusieurs mois avant d'en parler à mes frères et belles-sœurs. J'étais en France au moment où j'ai appris la nouvelle et même si ces deux cancers se soignent très bien, surtout dans le cas du cancer de la prostate, je n'ai pas pu m'empêcher de me demander si c'était la dernière fois que je les voyais. Je me souviens de leur avoir dit au revoir de façon plus intense et d'avoir gardé en mémoire la dernière image d'eux. C'était dur de ne pas pouvoir être là pour les soutenir. Le dilemme qui s'est alors présenté à moi n'était pas facile. J'étais tiraillé entre mon devoir de fils et mon devoir de père. Les cancers de mes parents n'étaient pas très avancés ni pour l'un ni pour l'autre, j'ai donc préféré ne pas perturber davantage les enfants en rentrant en France plusieurs mois. »

L'expatrié se retrouve souvent en proie à ce terrible dilemme : rentrer ou ne pas rentrer en urgence ? Afin de rétablir un contact direct et soulager le besoin de présence auprès du malade, des voyages sont souvent envisagés. La décision de rentrer au pays auprès du parent malade est tributaire de nombreuses variables subjectives et personnelles. C'est fonction de la dynamique familiale à l'étranger, de la connaissance et de la gravité de la situation, et des possibilités matérielles, financières et pratiques de l'expatrié.

Quand un décès survient chez un proche resté au pays d'origine

À la suite d'une maladie, ou de façon totalement imprévisible, un décès peut aussi survenir. C'est d'une rupture que naît le départ. En même temps, l'expatriation implique aussi l'idée d'une séparation qui se veut provisoire, avec l'éventualité latente d'un rapprochement futur. Or, quand survient le décès d'un proche ou du migrant lui-même, l'absence se fait alors définitive. Une perte irrévocable de l'être cher s'installe avec anéantissement de tout espoir de retrouvailles. De même, l'annonce d'une maladie grave éveille la peur d'une issue funeste précipitée, et donc le risque d'un adieu.

En situation d'expatriation, la culpabilité due à l'éloignement complique davantage ce vécu si douloureux. Avec ses attributs d'absence, de distance, de rupture et de séparation propre à l'expatriation, il s'agit pour l'expatrié de faire plus fortement encore le deuil de ce qui n'a pas été et de ce qui aurait pu être. Le travail de deuil implique d'ailleurs non seulement la mentalisation des souvenirs, réels ou fantasmés, mais également le renoncement de certains projets, comme celui d'un retour vers la famille telle qu'elle fut laissée et de retrouvailles qui ne se feront plus.

Le travail de deuil

Dans un registre psychanalytique, on dit qu'un deuil normal s'effectue en trois phases : une détresse à l'annonce du décès, une dépression passagère liée à la perte, puis une adaptation avec intériorisation de « l'objet disparu ». Selon Marie-Frédérique Bacqué[1], « à la fin du travail de deuil, l'endeuillé aime toujours la personne perdue, mais cet amour est désormais attaché au passé. Il ne présente donc plus les caractéristiques habituelles de l'amour au présent [...] Seule la reconnaissance de cet "amour au passé" permet à l'endeuillé d'accepter la perte à la fin du processus de détachement ».

La réaction de l'expatrié peut prendre différentes formes. Certains répondent avec une sorte de pragmatisme de protection comme la prise en charge de la logistique des obsèques. Pour pallier l'impuissance causée par la distance, le migrant peut chercher à asseoir sa place dans la famille à travers certaines actions concrètes. Certains décident de prendre le premier avion pour venir soutenir la famille. C'est souvent dans un second temps, quand il est de retour dans son espace de vie, qu'un contrecoup peut se déclarer. Certains se trouvent face à une décision : poursuivre l'expérience de l'expatriation, ou bien rentrer s'occuper du parent restant.

Thomas poursuit : « Lorsque j'ai téléphoné à mon père juste avant son opération, j'ai encore pensé que c'était peut-être la dernière fois que je lui parlais car toute opération comporte un risque. Trois jours plus tard, au petit matin, une infirmière a retrouvé mon père décédé. J'ai appris son décès par e-mail.

1. Marie-Frédérique Bacqué, *Apprivoiser la mort*, Odile Jacob, 2003.

Une amie de la famille qui avait appris la nouvelle m'avait très gentiment envoyé tout de suite un e-mail pour me présenter ses condoléances, sauf que, décalage horaire oblige, je n'étais pas encore au courant. Ma mère ne voulait pas me réveiller en pleine nuit pour m'annoncer la nouvelle... Mes frères et moi vivons tous à l'étranger. Lorsque ma mère a appris la nouvelle, il s'est écoulé deux jours avant que l'un de nous puisse être auprès d'elle pour la réconforter et l'aider dans les démarches qui suivent un décès. La savoir seule, sans famille pour l'entourer, était très difficile. »

Le décès met un terme à une relation que l'expatriation avait déjà en soi rendue plus difficile. Une culpabilité de n'avoir pas pu en profiter assez peut surgir, accompagné de regrets pour avoir perdu des occasions. Dans le cadre de relations teintées de rancœur, des remords pour n'avoir pas pu expliciter les frustrations cumulées peuvent là aussi accentuer la peine.

Affronter un deuil en expatriation

Si vous devez affronter la nouvelle d'un décès dans votre famille en vivant à l'étranger, vous pouvez rechercher une aide réconfortante auprès de votre réseau social et amical local. Vous pourrez y puiser soutien, écoute et compassion. La possibilité de mettre en pensées et en mots les émotions est un signe que le travail de deuil est en élaboration. S'il n'est pas possible d'assister aux obsèques, il vous est possible de poser une journée symbolique de recueillement. Certains instaurent une date anniversaire dédiée au parent absent, d'autres se remémorent l'être cher en silence et en solitude. Pour la famille expatriée, préserver les rituels et les traditions familiales même lorsque les plus anciens sont partis permet de garder une identité familiale forte.

Quand le décès touche directement la famille expatriée

Dans certains cas, le décès touche l'expatrié lui-même ou son conjoint. Toute la vie familiale est bousculée, avec des décisions à prendre dans un contexte de choc émotionnel important. Si le décès est brutal et non anticipé, c'est-à-dire s'il ne fait pas suite à une longue maladie, c'est en plein traumatisme que la famille tout entière va devoir prendre des décisions dans l'urgence. L'une des questions qui se pose rapidement est de choisir le lieu d'inhumation. Décider du lieu d'enterrement pose symboliquement un acte d'attachement à une localité. Le défunt a pu préalablement expliciter où il souhaitait être enterré ou incinéré. Ou bien c'est sa famille qui doit trancher, en fonction le plus souvent du lieu où elle pourra se recueillir le plus facilement. Choisir le lieu d'enterrement, c'est opter pour un des pays qui correspondent à l'histoire du défunt ou à celle de ses proches.

Lorsque c'est le porteur du projet d'expatriation qui décède alors qu'il était principalement en charge des finances du foyer, la famille doit également décider si elle décide de poursuivre une vie à l'étranger et dans quelle mesure cela est matériellement réalisable, financièrement et administrativement. Les enfants, en fonction de leur âge et de leur attachement au pays d'expatriation, peuvent avoir leur opinion. La cellule familiale peut alors exploser, partagée entre ceux qui restent et ceux qui partent.

Parfois, c'est le parent qui vit l'épreuve de la mort de son enfant. Ce qui est considéré comme l'ordre naturel des choses va alors être totalement bouleversé entraînant un traumatisme majeur. On assiste souvent à un double sentiment, impuissance et désespoir, qui peuvent être accompagnés d'un troisième sentiment souvent illusoire de responsabilité. Une culpabilité pour n'avoir pas réussi à protéger l'enfant ou pour lui avoir survécu. La pensée que « *j'aurais pu faire quelque chose* » conduit à une baisse de l'estime de soi et à un sentiment de dévalorisation personnelle. Avec un profond sentiment d'injustice et l'impression d'avoir perdu une raison de vivre, le parent fait aussi le deuil d'une partie de lui-même, de ses rêves, de ses illusions et de ses projets. Il est alors question de retrouver un sens à la vie, surtout s'il s'agissait d'un enfant unique. L'avenir et la descendance attachés à cet enfant s'envolent ; il est alors nécessaire de trouver une raison suffisamment forte pour continuer à avancer. La poursuite de la vie à l'étranger peut aussi être remise en cause. Les ambitions professionnelles, financières, ou même culturelles peuvent perdre leur attrait au profit d'un repli vers le cocon familial. Certains ressentent le besoin de retourner auprès des proches et retrouver des repères dans leurs racines. D'autres, à l'inverse, vont poursuivre la réalisation des plans qui avaient été décidés, ce qui peut faciliter le travail de deuil. Entre repli sur soi plus ou moins régressif et fuite en avant dans un mode actif, un équilibre personnel est à trouver et à construire, ce qui prend souvent du temps, de l'énergie et du courage.

Entre détresse et souffrance, reviviscence de souvenirs, regrets et nostalgie, c'est en puisant dans sa capacité à aller de l'avant que le migrant vivant l'épreuve de la maladie et du deuil poursuit son cheminement et ce malgré peine et perte.

On fait le point...

1. Quelle a été la réaction de vos proches à l'annonce de votre départ ?
2. Comment vous êtes-vous préparé au départ ?
3. Comment vous y êtes-vous pris pour gérer votre stress en expatriation ?
4. Comment avez-vous surmonté les moments de désarroi ?
5. Vous êtes-vous préparé à l'éventualité d'un décès ou d'une maladie grave chez un proche ?

Chapitre 4

Se réaliser à l'étranger en développant une intelligence nomade

« Nous avons tous et chacun une biographie, un récit intérieur dont la continuité, le sens, constituent notre vie. On peut dire que chacun de nous construit et vit un "récit" et que ce récit est nous-mêmes, qu'il est notre identité. »

Oliver Sacks[1]

Comme nous l'avons vu dans les chapitres précédents, c'est à l'intérieur de chacun que se trouvent les ressources nécessaires pour résister aux difficultés de l'expatriation, mais aussi pour se réaliser et s'épanouir quel que soit le lieu de vie.

Trouver son chez-soi en soi où que l'on soit

Il s'agit donc de faire un travail d'introspection pour se connaître et clarifier le potentiel existant en chacun d'entre nous. Il s'agit également de comprendre ce qui freine ou au contraire ce qui permet d'exploiter pleinement ce potentiel. L'ensemble constitué des

1. Oliver Sacks, *L'Homme qui prenait sa femme pour un chapeau*, Le Seuil, 1992.

ressources et des facteurs qui les influencent représente le chez-soi qui est en soi. En périphérie du Soi, à la jonction avec le monde environnant, se trouvent des facteurs clés de l'adaptation qui prédisposent l'individu à vivre de façon épanouissante et enrichissante sa vie à l'étranger. Ce sont des vecteurs qui agissent sur l'acclimatation au nouveau pays. **C'est à travers chacun de ces niveaux (les ressources internes, les forces agissantes intermédiaires et les facteurs d'ajustement au monde extérieur) que se construit l'intelligence nomade.**

Puiser dans ses ressources pour s'épanouir

Les ressources internes sont des éléments uniques que chaque personne possède et qui constituent ses repères identitaires. Elles sont principalement constituées des valeurs qui sont les principes de la personne, des besoins qui sont de différentes natures, des objectifs qui sont les buts orientés vers le futur, des atouts qui sont le potentiel acquis ou inné et de la motivation qui est le moteur stimulant les ressources.

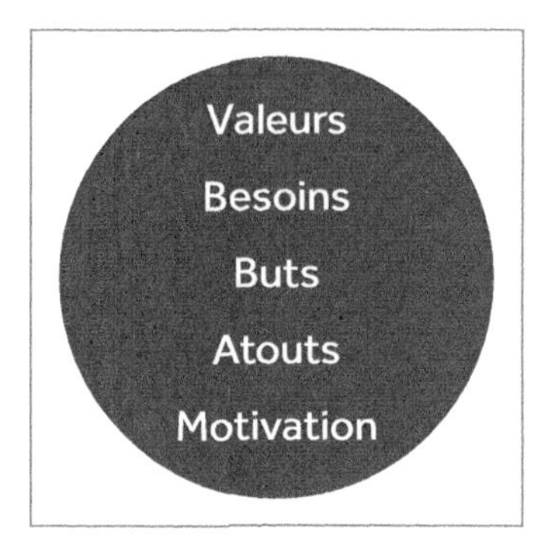

Michel Lacroix[1] nomme « capital intérieur » de chacun l'ensemble de ces ressources. Il s'agit en fait d'un potentiel de croissance et de réalisation personnelle en germe chez l'individu. C'est une possibilité de développement qui peut s'effectuer une fois identifiée, acceptée et mise en action. **Être en accord avec ses valeurs, honorer ses besoins, poursuivre la réalisation d'objectifs motivants, mettre en œuvre ses atouts, ses connaissances et ses talents, tout cela constitue les composants d'un capital intérieur qui peut être mis au service d'une adaptation à un environnement donné.**

La satisfaction des différents besoins donne un sens aux actions individuelles. Elles proviennent le plus souvent du respect des valeurs. Elle renforce l'énergie placée dans les agissements et alimente les motivations. Les comportements qui en découlent permettent de mettre en place de nouvelles habitudes plus adaptées aux situations inédites et, de fait, aux nouveaux besoins. Toutes les ressources sont ainsi intimement liées.

À la découverte de nos valeurs

Les valeurs traduisent les principes de vie d'une personne. Elles forment une sorte de boussole psychique avec des repères personnels et subjectifs qui filtrent la perception du monde extérieur en données acceptables ou conformes à soi. Quand les valeurs sont honorées, l'individu est en paix, ce qui correspond à une idée de congruence et de satisfaction interne source de bien-être et de motivation. En revanche, si elles ne le sont pas, une dissonance est ressentie provoquant un conflit interne, source de mécontentement et de frustration.

1. Michel Lacroix, *Se réaliser*, *op. cit.*

Dans son livre relatant son expérience de vie en Arabie Saoudite, Lucie Werther[1] témoigne de la difficulté pour s'intégrer dans un pays où la loi islamique entrave sa valeur de liberté. « Aujourd'hui, j'ai marché 200 mètres entre deux magasins et j'avais comme une impression de liberté. Peut-on imaginer un endroit où une femme ne peut pas sortir de chez elle pour aller marcher ? Non, c'est inimaginable, sauf ici. Pour me protéger du soleil, je rabats mon voile sur ma figure, à la saoudienne. J'ai l'impression de voir le monde à travers une moustiquaire ou une vitre très sale, et j'étouffe. Comment les Saoudiennes font-elles pour supporter d'être ainsi voilées dès qu'elles mettent le nez dehors ? »

La notion de valeur porte un sens culturel lorsqu'il s'agit de valeurs traditionnelles inhérentes au pays d'origine. Le migrant, tenu par des valeurs individuelles issues de son éducation, de sa personnalité, mais aussi de sa culture, peut être profondément déstabilisé par les valeurs sociales et culturelles du pays où il habite dorénavant.

En clarifiant vos propres valeurs et en les comparant aux valeurs culturelles du pays, vous pouvez distinguer ce qui est pour vous acceptable, négociable ou inconcevable. S'intégrer n'est alors pas gommer ce que chacun est, mais faire la part des choses avec souplesse et tolérance.

Comprendre nos besoins

Parallèlement aux valeurs se trouvent des besoins à respecter. Par exemple, la valeur « liberté » peut correspondre à des besoins

1. Werther Lucie, *Journal d'une Française en Arabie Saoudite*, Plon, 2005

d'autonomie, d'indépendance, d'ouverture aux autres, de créativité dans les projets, d'innovation dans les démarches, ou bien, comme dans le témoignage de Lucie Werther, de ne pas se sentir bridé.

Le psychologue Abraham Maslow a dressé une pyramide des besoins humains en cinq niveaux. Lorsque le besoin situé sur un palier inférieur est satisfait, alors l'individu a la possibilité de satisfaire le besoin situé au niveau juste au-dessus. Cette pyramide des besoins explique les différents niveaux d'ajustement du migrant.

La pyramide des besoins selon Maslow

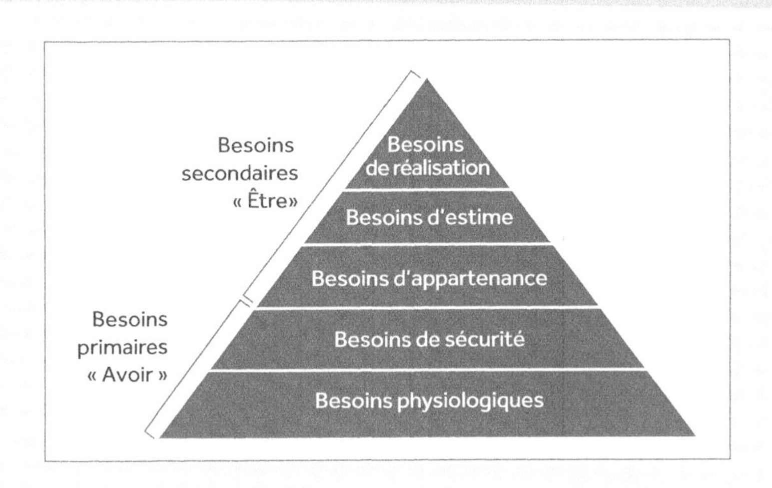

Les *besoins physiologiques* sont liés à la survie des individus. Ce sont les besoins de base à satisfaire, comme se nourrir, se loger ou se déplacer. Le migrant s'interroge : « Où suis-je ? » et recherche les éléments basiques nécessaires à son installation physique

Les *besoins de sécurité* sont liés au besoin de protection contre les dangers et au besoin de maîtrise sur les choses et l'environnement. Le migrant s'interroge : « Suis-je bien ? » et aspire à se sentir en confiance dans ce nouveau lieu de vie.

➜

→

Les *besoins d'appartenance* permettent à l'individu de se sentir accepté socialement, d'être intégré dans des groupes, et d'avoir des interactions de qualité avec les proches. Le migrant s'interroge : « Ai-je un réseau social ? »

Le *besoin d'estime* fournit une reconnaissance et une identité claire à l'individu qui est connu pour ses spécificités. Le migrant s'interroge : « Que vais-je faire ici ? » en clarifiant des projets et des objectifs personnels.

Le *besoin de réalisation* est un support à l'épanouissement personnel. Il s'agit d'un niveau d'accomplissement personnel qui transcende les satisfactions matérielles pour atteindre un palier de pleine expression de soi. Le migrant s'interroge : « Qui suis-je ici ? » L'individu possède alors une autre vision de soi dans ce monde.

Dans le cadre de l'expatriation, réussir à satisfaire chacun de ces besoins est une difficulté majeure. Et pourtant, dès l'arrivée, il s'agit de mettre en place les conditions nécessaires aux besoins élémentaires physiologiques. Se nourrir, se loger, créer un espace personnel sont les premiers défis, surtout quand la langue employée est totalement méconnue et que les mœurs alimentaires locales sont opaques. D'autres obstacles propres aux conditions physiques du pays rendent complexe la satisfaction de ce besoin basique : la situation politique, les problèmes de climat ou de pollution, la présence d'insectes ou d'animaux hostiles, les risques de catastrophes naturelles (tornades, ouragans, tremblements de terre, etc.) ou bien la situation financière. Une fois que ce premier stade est passé, la satisfaction des besoins de sécurité est alors en jeu. Les risques de violence dans le pays ou bien une insécurité administrative liée à l'obtention d'un visa sont des situations qui peuvent créer un climat d'inquiétude générateur de stress. Le besoin d'appartenance peut être ralenti par les aspects culturels du pays. En cas d'incompréhension des coutumes et des comportements des locaux, l'expatrié peut avoir du mal à s'insérer. Les relations interpersonnelles peuvent être jugées trop superficielles aux États-Unis, trop froides au Japon, trop brusques en Allemagne. Les problèmes de communication et plus particulièrement de maîtrise de la langue peuvent également limiter le rapprochement avec les personnes qui sont sur place. Le besoin d'estime et le besoin de réalisation personnelle sont souvent l'enjeu des problématiques professionnelles de l'expatrié. Celui-ci doit trouver sa place dans un environnement de travail nouveau et différent.

On remarque souvent les conjoints d'expatriés suiveurs s'investir pleinement dans la satisfaction des besoins primaires et d'appartenance, en négligeant leur propre besoin de réalisation personnelle, ce qui provoque une frustration et une insatisfaction personnelle au bout d'un certain temps. Des inquiétudes liées à l'estime de soi et au besoin d'accomplissement ressurgissent. Le conjoint peut alors avoir l'impression d'être dépossédé d'une part de son identité professionnelle, sociale et familiale.

Il est important de clarifier la nature de vos besoins, à quel niveau d'ajustement vous vous situez et ce qui peut être mis en œuvre pour satisfaire chaque palier de besoins.

Se fixer des objectifs clairs

Les objectifs permettent de rester focalisé sur les aspirations personnelles. Il s'agit de donner un sens aux actions futures et ainsi garder le contrôle de son devenir. Avec la pleine conscience de ses projets et l'anticipation des résultats souhaités, on devient acteur volontaire de notre évolution. L'individu peut plus aisément organiser ses priorités et orienter sa démarche. À l'inverse, une avancée sans buts précis risque de pousser l'individu à être tributaire des événements extérieurs.

L'outil du « SMART Goal » est une aide pour établir un plan d'action réel. Cet acronyme correspond à :

- S pour Spécifique : le but doit être clair et précis ;
- M pour Mesurable : différentes étapes conduisent à la réalisation du projet ;
- A pour Atteignable : le but doit être réaliste ;
- R pour Responsable : l'individu est responsable de ses actions pour atteindre ses objectifs ;
- T pour... Très excitant ! La motivation est un facteur clé de réussite du projet.

Lorsque l'envie de réussir rencontre enthousiasme et ténacité, on assiste à un trio booster pour aller de l'avant. **La démarche est ainsi de rendre concrète une ambition, de mettre en place une action correspondant à l'objectif puis de se représenter le résultat désiré.**

Se créer des cartes d'intention pour atteindre ses buts

En visualisant le résultat escompté et la satisfaction que cela procure, vous restez concentré sur l'objectif à atteindre avec une motivation importante. Écrivez sur une carte ce que vous désirez comme si vous étiez déjà dans ce futur en indiquant également les émotions que cela vous procure. Si vous ressentez parfois un découragement, relisez cette carte afin de vous reconnecter avec l'envie et le désir moteurs de ce projet.

Clarifier ses atouts

Les atouts personnels sont la combinaison des talents, des savoirs et des savoir-faire :

- **les talents** sont des aptitudes naturelles, dites « innées », qui se traduisent par une action réalisée avec aisance et fluidité. Ils sont uniques, efficaces et spontanés ;

- **le savoir** est l'ensemble des connaissances acquises, le résultat de l'apprentissage. C'est l'environnement et les interactions sociales qui l'alimentent. On les retrouve dans les documents recensant les formations et expériences ;
- **le savoir-faire** correspond au fait de combiner les talents innés au savoir acquis afin d'effectuer une action efficace.

De cette façon, les atouts proviennent à la fois des talents spontanés, de l'apprentissage, de la formation, de l'habilité et des connaissances. Ils ne sont toutefois pas toujours pleinement utilisés. Des doutes peuvent entraîner un découragement. Parfois, par pudeur, l'individu tend à oublier ses qualités personnelles.

Pour déceler vos talents, repérez les actions et comportements naturels et spontanés dans un contexte de résolution de problèmes. On peut également avoir recours à des bilans de compétences ou à des tests d'aptitudes.

Être animé d'une forte motivation

Daniel H. Pink[1] met en avant trois éléments essentiels de la motivation : l'autonomie, la compétence et le besoin d'appartenance au groupe. **L'autonomie** correspond à l'implication dans la réalisation de son projet. **La compétence** se retrouve dans les croyances de l'individu sur ses capacités à accomplir le projet. Et enfin, **le besoin d'appartenance au groupe** se situe dans l'intégration sociale de l'individu.

La motivation est une sorte de moteur interne permettant d'activer toutes les ressources de l'individu avec un regain d'énergie. La motivation intrinsèque pousse un individu à poursuivre une activité, car

1. Daniel H. Pink, *La Vérité sur ce qui nous motive*, Leduc.S Éditions, 2011.

elle lui procure une satisfaction directe. Les bénéfices liés au projet sont perçus à chaque étape de sa réalisation. Par exemple, si la motivation pour partir s'installer à l'étranger est le désir de découvrir un nouveau pays ou de se familiariser avec une langue étrangère, chaque avancée dans cette direction sera gage de contentement, malgré les difficultés. On considère alors que l'individu sera plus persistant et plus résilient. La motivation extrinsèque est présente lorsque l'activité n'est qu'un moyen pour atteindre un objectif. Si l'expatriation est imposée par l'entreprise dans le but de maintenir un emploi, les variables collatéraux comme le maintien d'un bon salaire, l'intérêt du poste, éventuellement des responsabilités et des possibilités de promotion permettent de positiver une mobilité non choisie délibérément. **Lorsque le projet d'expatriation est à la fois issu d'une motivation intrinsèque (projet personnel) et d'une motivation extrinsèque (offre de l'entreprise), les chances de réussite de cette expérience seront plus élevées qu'en situation de mutation subie.**

Se motiver et le rester

Mesurez l'envie de réussite de votre projet car c'est le moteur qui vous permettra de vous y investir pleinement. S'il y a une faible motivation, les risques de découragement augmenteront. Une envie forte renforcera le désir et créera une émulation conséquente. Vous pouvez désigner une équipe de « *cheerleaders* », c'est-à-dire des personnes de confiance qui vont vous encourager et vous aider à rester motivé.

Les ressources (valeurs, besoins, buts, atouts et motivation) sont au cœur de ce qui se trouve chez l'individu. Être au clair avec ses ressources, c'est connaître les ingrédients présents dans la mise en œuvre du projet.

Des facteurs qui influent sur notre potentiel

Connaître ce qui constitue son potentiel ne signifie pas pouvoir pleinement l'utiliser. Il existe des forces qui renforcent ou au contraire freinent ces ressources. **La pleine conscience permet de réaliser l'importance du potentiel qui existe en nous, l'estime de soi permet de l'apprécier et de le valoriser, la gestion des émotions permet d'accepter l'impact émotionnel qui résonne en chacun, et enfin les saboteurs ont tendance à réduire la portée de ces ressources.**

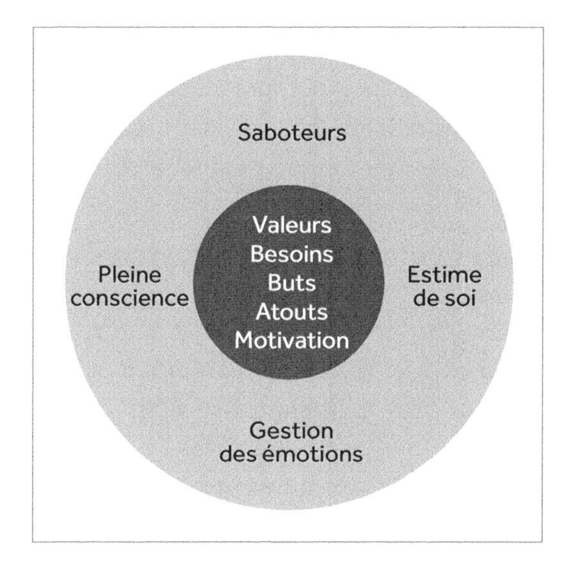

Ces facteurs influent sur la disponibilité de nos ressources. Ils vont encourager ou, à l'inverse, limiter l'expression des éléments constituant les ressources individuelles.

Les coulisses de l'estime personnelle

L'estime de soi permet de posséder une connaissance évaluative de sa propre valeur. C'est un regard arbitraire, connoté de jugement, que l'on se porte. Positif, il permet à l'individu de rebondir et de croire en ses capacités pour aller de l'avant. Négatif, il noie l'individu dans les difficultés sans lui donner les moyens de lutter.

L'estime de soi est une notion qui porte en elle plusieurs dimensions allant de la confiance en soi, de l'image de soi et de l'amour de soi. **La confiance en soi** est reliée aux actions entreprises par l'individu et à son attitude dans différentes situations. **L'image de soi** est le regard subjectif que l'individu se porte et qui peut provenir de propos tenus par les tiers. **L'amour de soi**, enfin, est le point primordial de l'estime de soi. Il correspond à l'acceptation plus objective, connotée de bienveillance et de tendresse, de tout ce qui nous constitue, notamment nos limites, nos défauts, nos échecs et nos faiblesses. L'amour de soi contribue à posséder une bonne image de soi, ce qui conduit à la confiance en soi.

Dans le cadre de l'expatriation, afin de pouvoir faire face aux obstacles et aux imprévus, il est nécessaire de posséder à la fois la confiance en soi qui permet de relever les défis, une bonne image de soi pour réussir à bâtir et développer ambition et projets, et également l'amour de soi pour maintenir un équilibre personnel dans le chaos et résister aux épreuves et aux possibles désillusions. De cette façon, **l'estime de soi est une ressource majeure sur laquelle le migrant devra s'appuyer.**

Viser la pleine conscience

Il s'agit d'une prise de conscience de l'instant présent et également des effets de l'émotion au niveau physique, mental ou comportemental.

La force de la montée émotionnelle est contrôlée par une prise de conscience des réactions du corps comme les effets sur la respiration. La personne interrompt son investissement du faire pour se positionner dans l'être. Elle porte son attention sur ce qu'il est et ce qu'il ressent, sans jugement ni critique, et tient compte tant de ses besoins, de ses envies, de ses valeurs que de ses atouts pour s'investir dans un projet et donc dans un but. Cela implique de s'autoriser à créer en soi un espace autre, nouveau et différent. Les jugements, les clichés, les supposés sont mis à l'écart au profit de l'acceptation, de la tolérance et d'un intérêt pour ce qu'il y a autour de soi. De façon empathique, la différence chez les autres est acceptée avec paix. La réalité du nouveau monde est observée sous un regard d'acceptation sans jugement.

Vivre l'instant présent signifie ne pas être dans un état d'automatisme ou de soumission aux contraintes externes, mais de reprendre en main et avec lucidité les événements qui se présentent à soi. L'important est alors de ne pas se perdre ou de ne pas se noyer dans les choses à faire, ce qui entraîne des risques d'épuisement et de dispersion. L'expatrié réalise alors avec plus de conscience et de discernement l'impact des situations nouvelles et déstabilisantes qu'il doit affronter. En faisant régulièrement des pauses entre chaque action pour être à l'écoute de son ressenti, l'individu garde contrôle avec ce qu'il est, malgré les sollicitations nombreuses provenant d'un environnement en mutation.

À l'écoute de ses émotions

Darwin met en avant six émotions fondamentales : la joie, la surprise, la tristesse, la peur, le dégoût et la colère. Il en existe en réalité beaucoup d'autres. Une émotion est une réaction du corps et de l'esprit face à un événement soudain. Gérer ses émotions signifie tout d'abord prendre conscience de leur présence. Il n'est pas question d'étouffer son émotion, mais plutôt d'y faire face pour qu'elle ne prenne pas le dessus. Aucune émotion n'est en soi positive ou négative. Le comportement qu'elles entraînent peut en revanche l'être. De cette façon, la colère peut permettre un regain d'énergie ou au contraire lorsque la colère devient violente provoquer un comportement destructeur.

En étant à l'écoute des émotions qui surgissent de façon normale et naturelle, l'expatrié peut retrouver un équilibre en soi avant d'affronter l'environnement extérieur, ce qui lui permet de rester maître de lui-même et à l'écoute de ce qui constitue son for intérieur malgré un environnement en changement.

Les diablotins de notre conscience que sont les saboteurs

Le terme de saboteur est une métaphore pour illustrer un état de désaccord intérieur entre les désirs, la motivation et les buts. C'est l'ensemble des pensées et des émotions qui freinent l'individu avant de passer à l'acte sous une prétendue justification de protection. Face à un changement dans l'environnement ou dans les habitudes, une alarme psychique s'éveille et se traduit en inquiétude plus ou moins forte. Des pensées paralysantes qui anticipent les risques, l'échec, le danger ou les insatisfactions prennent forme, favorisant l'installation d'une peur. En fait, tout changement induit une cassure dans la continuité du rythme de vie avec un déséquilibre dans une situation naguère maîtrisée, ce qui provoque un état d'inconfort et une appréhension de l'inconnu. Le saboteur est alors cette partie de soi qui incite à l'inaction sous prétexte de protection, de rationalisation excessive et de pragmatisme à outrance. Porté par un désir de stagnation, le saboteur paralyse l'individu et empêche les projets de se réaliser en exagérant les risques, en mettant en doute les compétences, en déformant la perception de la situation et en pointant les inconvénients tout en étouffant les bénéfices.

Partir à l'étranger signifie avoir réussi à combattre plus ou moins violemment des résistances à l'idée d'oser s'aventurer vers le changement. Cela implique d'avoir puisé sur des ressources personnelles de confiance et de courage. Le coût peut en être une fatigue tant physique que morale. Toutefois, en puisant dans une motivation importante, l'effet des saboteurs peut être atténué. En identifiant les pensées limitantes provenant du saboteur, l'individu peut garder la pleine conscience de ses choix et exploiter avec plus de justesse ses ressources.

Rester maître de ses ressources

Affirmez-vous ! Ce qui freine souvent la mise en route d'une action est le découragement et le manque de confiance en soi. Des doutes sur ses propres capacités et des peurs dans la prise de risque prennent le dessus. Avec l'acceptation de soi et de ses émotions, on entreprend une démarche plus authentique.

Écoutez-vous ! L'éducation prône souvent une idée de pudeur qui masque les ressentis. Les efforts sont souvent tournés exclusivement vers le projet et non vers le vécu interne. Or c'est le porteur du projet qui tient le projet, non l'inverse. Donnez-vous les moyens de mener à bien votre projet en écoutant vos propres besoins avec lucidité et tolérance.

Renoncez à la perfection ! Avancer dans ses démarches de façon imparfaite représente déjà une progression. Il faut donc veiller à ne pas trop écouter un saboteur qui prêche pour une stagnation ou une procrastination.

Des facteurs d'ajustement au monde environnant

Une fois que les ressources et les facteurs qui influencent le potentiel sont mis en lumière, il est nécessaire de repérer les facteurs qui vont permettre à l'individu de trouver sa place dans son environnement. Les facteurs d'ajustement représentent des vecteurs qui agissent à la fois sur l'acclimatation au pays et sur la nature du noyau identitaire. Ils fonctionnent comme des rouages d'accommodation du soi au monde externe. Ils sont au nombre de quatre : la résilience, l'empathie, l'adaptabilité et la communication.

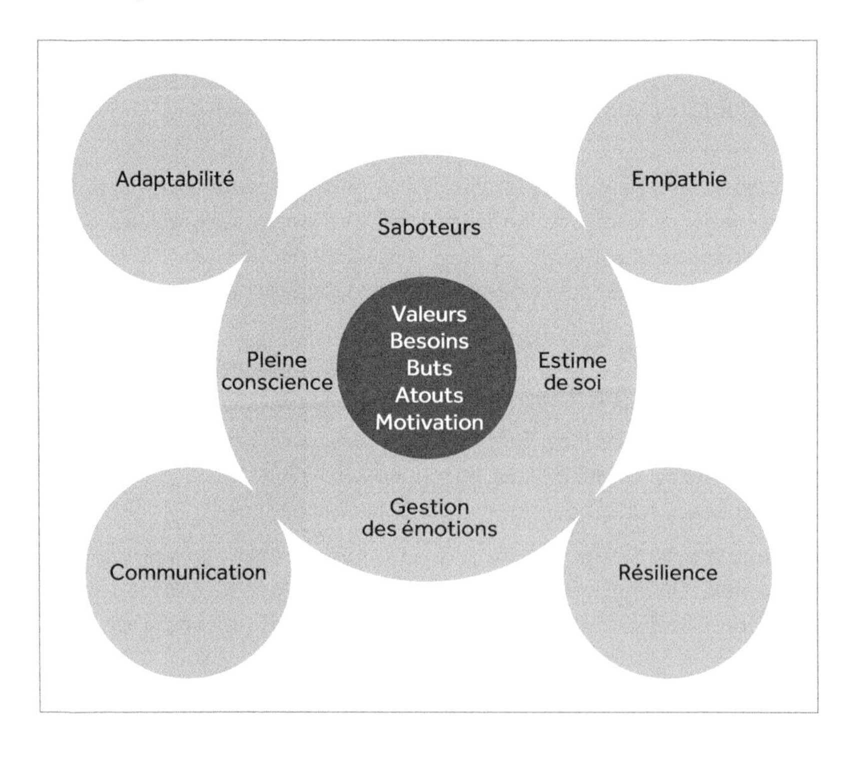

À la lisière du fonctionnement interne, des capacités personnelles permettent à l'individu d'interagir socialement et de trouver une place qui lui correspond dans un nouvel environnement, un nouveau pays, une nouvelle culture. Le monde extérieur va alors influencer l'individu qui accommodera et fera évoluer ses ressources en conséquence.

Une capacité à résister aux difficultés

On désigne par le terme de résilience la capacité à faire face aux obstacles, à résister aux traumas, et à ne pas s'écrouler dans les épreuves. C'est un terme issu de la physique qui décrit la résistance aux chocs des matériaux et qui sert de métaphore pour illustrer l'idée qu'un individu peut réussir à vivre et à poursuivre son développement au dépit des difficultés qu'il rencontre. La résilience est un processus continu, dynamique et évolutif qui permet de maintenir de l'espoir et une combativité même dans les moments les plus difficiles, car elle prône l'idée que l'on peut ressortir renforcé et enrichi des épreuves.

On trouve deux dimensions : une capacité à se protéger des pressions externes et une capacité à poursuivre positivement son évolution en renforçant sa résistance. De cette façon, afin de réussir à traverser le chemin semé d'embûches de l'expatriation, il est important de voir en chaque difficulté l'opportunité qui s'y trouve. L'adversité qu'endure le migrant devient alors un enseignement enrichissant. L'individu tire des leçons des expériences vécues, même les plus difficiles, ce qui renforce sa robustesse identitaire. En s'appuyant sur une capacité à résister aux difficultés issues de l'expatriation le migrant peut alors les envisager comme des opportunités plutôt que des épreuves. De plus, la résilience se développe en soi à travers un travail d'acceptation de chaque situation et une prise de recul qui permet de relativiser le moment vécu.

Une capacité à comprendre et à accepter les différences

L'empathie est la capacité de comprendre l'autre personne dans sa façon de penser, de ressentir les choses et d'interpréter les événements. En se mettant à la place de son prochain, l'individu change de perspective et d'angle de vue. Il est alors question d'imaginer ce qui se passe chez une autre personne, à la fois en se représentant ses idées (aspect cognitif) et en percevant son ressenti (aspect émotionnel).

Par cette approche, une capacité d'identification se met en place qui peut amener un élan d'aide solidaire. C'est ce que nous pouvons retrouver dans les groupes communautaires apportant un support aux expatriés. Le fait de comprendre ce que le migrant traverse peut susciter une démarche d'aide et de soutien. Une reconnaissance de l'existence d'un autre différent peut également provoquer la prise en compte d'une possibilité de se voir influencé par lui. L'individu peut adhérer à l'autre point de vue et renoncer à ses certitudes. Avec une pensée non rigide, la nouvelle culture peut être comprise et être plus ou moins assimilée. Le migrant peut évoluer dans ses idées, ses impressions et ses sentiments jusqu'à partiellement intégrer des éléments de cette différence et modifier en partie certaines de ses ressources internes comme ses buts, ses désirs, sa motivation ou ses valeurs. L'acceptation de l'autre dans sa différence alimente ainsi la découverte, l'enrichissement culturel et le développement personnel, avec l'émergence possible de nouvelles valeurs et une vision du monde différente.

Une capacité à évoluer et à accepter l'environnement

L'adaptabilité est la capacité à être en accord avec un environnement particulier et à interagir harmonieusement avec lui. C'est donc l'entente cognitive, comportementale et émotionnelle résultant de la rencontre de l'individu avec le contexte social.

En fonction de la nature du groupe, de la communauté ou de l'environnement socioculturel que l'individu intègre, l'adaptation peut être plus ou moins aisée. S'il partage certaines valeurs ou s'il considère les bénéfices qui peuvent exister, l'adhésion à l'environnement peut être facilitée. Quand, à l'inverse, il existe une opposition ou un antagonisme, un risque de rejet social peut apparaître. La question de l'adaptabilité touche alors l'idée d'une disposition personnelle absolue ou relative à la mobilité. Elle peut dépendre de variables géographiques, démographiques, salariales, professionnelles, psychologiques et familiales.

L'anticipation des difficultés permet également de mieux se les représenter, ce qui facilite l'adaptation. De même, porter son attention sur les bénéfices plutôt que sur les frustrations et les déceptions favorise l'ajustement social. Enfin, cultiver une connexion avec son environnement notamment par l'ouverture aux autres, la curiosité et la tolérance permet d'évoluer dans l'interaction. En s'appuyant sur une capacité à évoluer et à intégrer une partie de son environnement, le migrant trouve un équilibre de vie qui lui permet de se former de nouvelles habitudes en accord avec sa réalité interne et la réalité externe.

Une capacité à s'ouvrir et à interagir avec les autres

La communication est la capacité d'établir une relation avec autrui en échangeant des messages plus ou moins explicites, verbaux ou non, ou bien même virtuels.

L'identité individuelle est en constant mouvement, elle évolue, s'enrichit, se forme et se transforme. La culture aussi se modifie, influencée par l'évolution des individus qui la composent, mais également par l'impact politique, historique, technologique ou même scientifique. À son tour, le langage évolue. De nouveaux termes naissent, d'autres sont désuets ou remplacés par d'autres influencés notamment par des langues étrangères. Il y a donc mouvement et interaction constante entre la langue, l'identité et la culture. Une des difficultés majeures de l'expatrié est ainsi de réussir à décrypter les différents messages verbaux et non verbaux qu'il perçoit chez une autre personne et dans une nouvelle culture qu'il ne maîtrise pas encore.

Pour comprendre la langue d'un pays, il est nécessaire d'aller bien au-delà de l'entendement de la syntaxe, du vocabulaire, des expressions ou des structures grammaticales. Parler la langue de l'autre, c'est saisir un ensemble plus important d'indices comme l'analyse des réactions, des attitudes, des comportements et des postures physiques. C'est aussi appréhender les nuances, les sens cachés et les allusions. Il y a donc une part culturelle importante dans la compréhension linguistique d'un pays différent du sien.

On évoque souvent la métaphore de l'iceberg pour symboliser la culture, où juste une petite partie est visible tandis que la partie la plus importante reste invisible. La partie visible correspond à la réalité externe, c'est-à-dire les manifestations évidentes de la culture comme le langage, les traditions ou les habitudes alimentaires. La partie invisible correspond à la réalité interne, c'est-à-dire les normes ou les valeurs. La communication interculturelle est la rencontre de deux individus porteurs chacun de leur propre iceberg. En s'appuyant sur une capacité à s'ouvrir à l'autre, apprendre la langue du pays d'accueil signifie tenter de pénétrer le mode de pensée de l'autre et de partager une partie de sa culture. Il s'agit de se familiariser avec d'autres significations et d'accueillir une autre perception des choses et une autre vision du monde.

Nicolas considère que l'expatriation lui a permis de se découvrir davantage, ce qui a facilité son adaptation : « Je réalise que ce départ et cette prise de risque m'ont libéré de beaucoup de pensées et comportements qui me gênaient et dont je ne parvenais pas à me débarrasser en France. J'avais tendance à ne pas oser essayer, de peur de ne pas réussir ; or, au Japon, j'ai dû tenter de nouvelles expériences, pas moyen d'y échapper et dire : "Je n'y arrive pas, j'arrête !" Il a fallu essayer encore et améliorer petit à petit ma maîtrise de la langue, ma connaissance des modes de communication et une foule d'autres choses. J'ai donc pris confiance dans ma capacité d'adaptation et de changement. »

Les facteurs d'ajustement au monde environnant se développent pour permettre un meilleur épanouissement dans le pays de résidence. Ce sont comme des muscles qui se travaillent et se renforcent pour faciliter l'intégration.

S'ajuster au monde environnant

Même s'il n'est pas toujours évident de bien se connaître, à travers un travail introspectif et de développement personnel vous améliorez votre capacité à vivre en dehors d'un cadre familier rigide, vous faites de votre différence un atout, vous vivez les périodes de transition avec plus d'aisance et vous facilitez votre aptitude à aller à la rencontre de l'autre. Vous déployez votre intelligence nomade.

Grâce à ces différents facteurs d'ajustement que sont l'adaptabilité, l'empathie, la communication et la résilience, l'individu se sent davantage en phase avec le pays étranger, tout en maintenant le respect d'un soi authentique et d'une nouvelle culture source de découvertes.

On fait le point...

1. Comment décrivez-vous vos ressources ?

   Vos valeurs / Vos besoins / Vos buts / Vos atouts / Votre motivation

2. Comment décrivez-vous les forces qui influent sur votre potentiel ?

   Votre estime personnelle / Votre pleine conscience / Votre gestion des émotions / Vos saboteurs

3. Comment décrivez-vous votre ajustement au monde environnant ?

   Votre capacité à résister aux difficultés (résilience)

   Votre capacité à comprendre et à accepter les différences (empathie)

   Votre capacité à évoluer et à accepter l'environnement (adaptabilité)

   Votre capacité à vous ouvrir et à interagir avec les autres (communication)

4. Dès lors, comment évaluez-vous le développement de votre intelligence nomade ?

Deuxième partie

Comprendre les petits et grands effets de l'expatriation sur le cercle familial

Les expatriés venus s'installer en famille à l'étranger relèvent de nombreux défis. La famille se retrouve le plus souvent dans une organisation de type nucléaire, c'est-à-dire limitée au noyau central que sont le couple et leurs éventuels enfants. Cet isolement renforce parfois considérablement les liens qui les unissent, avec le besoin de s'appuyer sur une solidarité intrafamiliale. La famille doit apprendre à se débrouiller de façon indépendante et autonome. Parfois, c'est une impression de trop grande promiscuité qui devient étouffante. D'ailleurs, la plupart des échecs d'expatriation proviennent de soucis rencontrés au sein de la famille du migrant. De nombreux articles mettent en avant un taux de divorce plus élevé chez les expatriés que chez les sédentaires, bien qu'aucune étude approfondie sur la question ne l'ait formellement établi.

Les enfants ont eux aussi un rôle déterminant dans la réussite de cette vie à l'étranger. Ils doivent s'ajuster à une nouvelle langue, faire face à un métissage culturel important au sein de leur école et aussi découvrir une multitude de nouveaux codes sociaux. Pour les enfants plus grands, ils doivent également gérer la perte de tous les acquis du pays d'origine. Parfois, l'expatriation se pérennise et les générations futures ne possèdent plus qu'une vision très floue de leur origine culturelle.

Afin de faciliter les différents challenges que doivent affronter les membres de la famille, il est important que chacun d'entre eux se fixe des objectifs précis et personnels pour la durée de l'expatriation. Avoir un but donne une direction et une motivation pour permettre d'aller de l'avant. Un consensus familial sur le projet d'expatriation avant même le départ est primordial, de même que réussir à être à l'écoute des besoins et du vécu de chaque membre de la famille durant la migration. C'est en effet un projet global qui doit être construit et prendre en compte l'implication de chaque membre de la famille.

Chapitre 1

Déchiffrer ce qui se passe pour la famille en expatriation

« Qu'elle soit voulue ou choisie, toute migration est un acte courageux qui engage la vie de l'individu et entraîne des modifications dans l'ensemble de l'histoire familiale aujourd'hui et demain : c'est l'impact transgénérationnel. »

Marie Rose Moro[1]

Un départ à l'étranger provoque un changement important dans les dynamiques familiales, comme une crise qui doit être négociée par chaque membre de la famille et par le système familial dans son ensemble. La crise touche ainsi la famille nucléaire, la famille élargie et même la famille d'origine. Avec la famille élargie, les relations deviennent plus complexes et nécessitent de nombreux ajustements. L'acceptation même du départ peut être rendue difficile. La famille migrante constitue quant à elle un groupe bien spécifique. Elle est un élément de stabilité et une référence rassurante dans un contexte de changement. Une intelligence nomade familiale se développe pour permettre à la cellule sociale restreinte qu'est la famille d'intégrer un environnement social plus vaste et déconcertant. Parfois, la

1. Marie Rose Moro, *Nos enfants demain*, Odile Jacob, 2010.

famille qui part est recomposée, multiculturelle ou bien séparée par le projet migratoire. Ceux qui partent sont parfois les grands-parents eux-mêmes. En effet, de plus en plus de retraités sont tentés par l'aventure internationale. Et puis l'installation à l'étranger peut aussi devenir pérenne, ce qui implique la mise en place d'une dynamique particulière dans les relations avec la famille élargie. L'expatrié peut devenir lui-même un aïeul qui devra composer avec sa famille internationale. De cette façon, l'expatriation ne touche pas uniquement l'individu dans son parcours de vie, mais elle va souvent marquer plus ou moins profondément la cellule familiale dans son ensemble.

Le fonctionnement de la famille

La famille, c'est une communauté d'individus reliés par des liens de parenté, et c'est également un premier lieu de socialisation pour les enfants. Elle se constitue à travers différentes générations jusqu'à un niveau dit « nucléaire » plus restreint, composé du couple parental et de leurs enfants.

Des relations qui se modifient avec la famille élargie

Selon une récente étude[1], 41 % des expatriés sont préoccupés à l'idée de quitter leur famille. L'inquiétude est amplifiée quand le parent montre déjà des signes de vieillesse plus évidents.

Pour les grands-parents, un départ à l'étranger peut être vécu comme une mise à distance, voire un abandon dans certains cas de figure. Sous la forme d'incompréhension, de reproches, de jalousie ou même de colère, c'est en fait une angoisse d'abandon qui

1. *Panorama de l'expatriation au féminin*, Expat Communication, 2011 ; téléchargeable sur le lien suivant : http://www.relocation-france.org/fichiers/ts_contenu/etude_panorama_expat_feminin.pdf

peut émerger. La peur de rester seul peut être là, mais aussi celle de ne plus être dorénavant si important dans la vie des enfants, de ne plus participer activement à l'histoire familiale générationnelle, ou même d'être exclu de la vie des petits-enfants. La blessure liée au premier départ du nid familial de l'enfant devenu adulte est ravivée par un départ encore plus drastique. Il ne s'agit plus uniquement de changer de toit, mais dorénavant de pays ou même de continent.

« Le paradoxe familial » correspond au besoin de tisser au sein de la famille des liens forts et protecteurs, tout en favorisant l'autonomie et les séparations. Le rôle des parents est d'instaurer un attachement suffisamment fort et rassurant pour permettre ensuite la séparation et la distanciation avec les enfants. L'enfant devenu adulte peut être pris dans un conflit entre le désir de partir et la difficulté d'en supporter les conséquences. Les parents peuvent reprocher à leurs enfants devenus grands de les abandonner. Ainsi, bien que l'un des objectifs des relations familiales soit de favoriser la séparation et l'émancipation, le départ reste une épreuve difficile pour tous.

En s'installant à l'étranger, l'expatrié renonce en partie à être actif et présent dans la vie de ses proches. Il laisse des parents ou grands-parents vieillissants, des frères et sœurs qui construisent leurs propres familles, des neveux et nièces qui naissent, qui grandissent, qui agrandissent la famille, des amis qui se marient, qui divorcent et qui traversent des épreuves plus ou moins joyeuses en son absence. C'est en fonction de sa capacité à gérer des problématiques liées à l'attachement et à l'angoisse de séparation que l'expatrié arrive à se sevrer de la présence effective de ses proches. De la même façon que l'enfant intériorise en soi une mère permanente pour pouvoir s'en détacher, l'expatrié doit intérioriser en lui un lien familial durable pour pouvoir s'éloigner. Un compromis doit se faire chez l'expatrié entre les bénéfices attendus par le projet migratoire et les renoncements qui y sont associés. Les difficultés issues de l'expatriation exigent alors davantage de créativité et de flexibilité pour garder la conservation des liens avec la famille élargie.

> Marion évoque le lien fort qui l'unit à ses proches qui sont pourtant si loin : « J'appelle mes parents tous les trois jours sinon ils s'inquiètent. On "skype" régulièrement avec la famille ou avec les amis. Mes parents sont même venus braver le froid de notre région en plein février ! Cela a fait du bien, car Noël et les anniversaires seuls, cela met vraiment le moral dans les chaussettes. Je me souviens avoir pleuré toute la journée de Thanksgiving à les voir tous réunis en famille sans nous... et pourtant je redoute ces repas de famille qui s'éternisent ; mais loin de ses racines, on idéalise. J'envoie régulièrement e-mails et photos à la famille et aux amis pour raconter nos folles aventures. Ils apprécient et je pense que c'est important de maintenir le lien, sinon loin des yeux loin du cœur... »

Bien que le départ et l'absence modifient les relations avec la famille restée au pays, elles peuvent aussi gagner en qualité. Les relations gagnent en piment en renonçant à leur routine. Un lien plus intense peut se créer lors des différentes visites, en particulier lorsque chacun se montre davantage disponible. À défaut de quantité, une plus grande qualité peut s'établir.

Maintenir des contacts dans la distance avec la famille

Avec les moyens de communication actuels, les contacts avec la famille étendue peuvent être facilités. Que ce soit par téléphone, par l'utilisation des réseaux sociaux, ou par vidéo-conférence, une forme de rapprochement s'installe.

Pour maintenir vivante la réalité des grands-parents ou des cousins auprès des enfants expatriés, leurs représentations au travers d'un arbre généalogique, d'un album photo familial, ou même de récits audio enregistrés peut être de bons supports.

L'envoi de colis génère également un fort impact émotionnel qui peut réactiver de tendres souvenirs, satisfaire le goût enfantin des surprises et pallier certains manques culturels, par exemple des produits du terroir.

Des liens renforcés dans la famille nucléaire

Une famille qui part s'installer à l'étranger est en soi un groupe social restreint où se jouent des interactions entre chaque membre et qui possède certaines particularités. Chaque membre de la famille possède des **rôles** plus ou moins assumés et délibérément choisis, une **communication** plus ou moins libre et explicite avec ses codes propres, des **liens affectifs** complexes oscillant entre amour et rivalité, et enfin un **rapport à l'autorité** permettant de codifier et de réguler les comportements qui s'y jouent. L'autorité parentale peut être rigide, flexible, permissive ou même incohérente. Au travers de ces différentes caractéristiques, le fonctionnement familial s'instaure et évolue. La famille dispose donc d'une structure interne qui lui donne une stabilité pour affronter les changements tout en alimentant et en influençant chaque membre de la famille qui la compose.

Les particularités de cet ensemble familial peuvent évoluer et être influencées par l'expérience de l'expatriation. La culture environnante peut déteindre sur l'autorité parentale. Les liens affectifs peuvent être renforcés. La communication peut changer de nature par l'intégration d'une nouvelle langue. Les rôles intrafamiliaux subissent également l'impact de rôles sociaux et professionnels différents. Lorsque le conjoint qui travaillait auparavant cesse toute activité professionnelle pour se consacrer pleinement à la famille pendant l'expatriation, cela change également la dynamique de toute la famille.

Avec l'expatriation, il existe souvent un rapprochement entre les membres. Les liens se renforcent. Face à l'adversité de la nouveauté et le manque de relations sociales, la famille devient un pilier où chacun puise une certaine sécurité, du réconfort ainsi qu'un apport affectif. Le fait de partager des souvenirs et des épreuves peut aussi consolider les attaches entre frères et sœurs et réduire momentanément les éventuelles rivalités. Une solidarité intrafamiliale devient un rempart contre l'anxiété née des multiples changements et installations. La famille devient un point d'ancrage pour les enfants. Elle représente alors le seul élément de stabilité auquel se référer dans un environnement en changement.

Selon Anne-Marie, « l'expatriation resserre les liens très forts dans une famille. Quand ça ne fonctionne pas pour l'un d'entre nous, c'est dur pour nous tous. Par exemple, quand mon mari a eu des problèmes au travail ou quand mes filles n'étaient pas heureuses à l'école, moi je ne pouvais pas être bien. En général, quand on bouge comme cela, je ne pense à moi qu'au bout de quatre ou six mois parce qu'avant j'ai trop besoin de sentir que tout le monde va bien avant de pouvoir penser à ce que je souhaite faire ».

Devant les chamboulements de tout l'espace de vie, la famille représente également le seul repère stable des enfants. Les traditions familiales sont un liant important entre les membres de la famille. Elles permettent de bâtir une histoire familiale et donnent une unité à l'ensemble du groupe, ce qui soutient le sentiment d'appartenance.

Ces traditions se font souvent dans la continuité du passé au présent et dans l'avenir, et également de la famille élargie à la famille nucléaire. Ce sont des repères culturels intemporels, affectifs et symboliques. De cette façon, dans notre famille en Californie, nous célébrons Noël chaque année en cuisinant des recettes provençales provenant de l'histoire familiale de mon mari, combinés avec des plats sud-américains que ma mère m'a enseignés.

Une famille, c'est également un foyer où l'on se retrouve et où l'on partage des expériences personnelles. Investir l'espace symbolique de la maison permet d'avoir un point de repère fort et rassurant même si le séjour est temporaire. Se retrouver le temps d'un dîner permet d'alimenter ces échanges, car au-delà du lieu de vie, c'est surtout la qualité des liens qui prime.

La famille se retrouve dans la qualité des interactions et des liens entretenus entre tous les membres, de la famille élargie à la famille nucléaire. Chacun y puise alors l'encouragement, le respect et l'amour qui lui sont nécessaires. C'est dans le sentiment d'appartenance à une tribu cohésive que le réconfort et la sécurité affective sont puisés, facilitant l'expérience de l'expatriation pour tous.

L'intelligence nomade familiale

En reprenant le modèle de l'intelligence nomade, on peut identifier au sein des familles internationales des aptitudes soutenant les changements ainsi que l'adaptation dans un nouveau pays et une nouvelle culture.

Au cœur du noyau identitaire familial

Au cœur de l'identité familiale se trouve ce qui constitue son unité faite de valeurs, de besoins, d'un fonctionnement et d'une culture qui lui est propre.

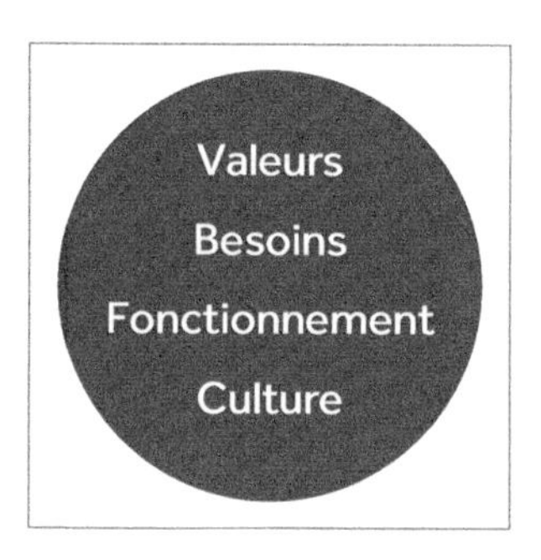

Les **valeurs familiales** sont souvent celles inculquées par les parents. Elles proviennent de leurs propres valeurs, de leur expérience et de leur culture. Un compromis plus ou moins tacite se réalise lors de la rencontre du couple parental autour de valeurs partagées qui seront à leur tour transmises aux descendants. Les valeurs familiales peuvent néanmoins se trouver en opposition avec les valeurs qui existent dans le pays de résidence, ce qui provoque alors un véritable choc culturel. À nouveau un compromis doit être trouvé pour rendre légitime auprès des enfants la cohabitation de valeurs familiales à l'intérieur du foyer et des valeurs sociales à l'extérieur (chez les amis, à l'école ou dans les lieux publics). Des valeurs nouvelles sociales peuvent également être adoptées par la famille qui elle-même évolue par l'influence culturelle de son lieu de vie.

Les **besoins familiaux** proviennent des valeurs parentales, du fonctionnement du groupe familial et de la culture familiale. Ils se traduisent par des exigences matérielles, fonctionnelles, psychologiques et idéologiques, par exemple sur le plan de l'habitat, de la structure scolaire des enfants, de la langue parlée à la maison, de la pratique d'une religion, du respect de traditions, etc.

Les valeurs et les besoins familiaux soutiennent le **fonctionnement familial**. Celui-ci suppose une constance et une certaine fermeté dans l'instauration de règles parentales pour que celles-ci soient intégrées et respectées par les enfants. De cette façon, chaque foyer aura un code de conduite qui lui est propre. Comme pour les valeurs, tout ce qui est autorisé à l'extérieur de la maison ne l'est pas forcément à l'intérieur, et vice versa, ce qui doit être clairement explicité pour ne pas créer de confusions.

La **culture familiale** provient aussi de l'histoire de la famille, notamment à travers l'apport de la famille élargie, du respect des traditions et des coutumes, ou par exemple des habitudes alimentaires.

L'ensemble de ces ingrédients (valeurs, besoins, fonctionnement et culture) constitue cette recette unique qui est un noyau identitaire familial relativement défini et stable. Il peut toutefois être bousculé par des forces agissantes à la fois en interne et en externe.

Les facteurs qui agissent sur le noyau familial

Les forces agissantes et influentes proviennent du vécu réel et émotionnel de chaque membre de la famille, mais aussi d'éléments extérieurs qui troublent le fonctionnement global de la famille.

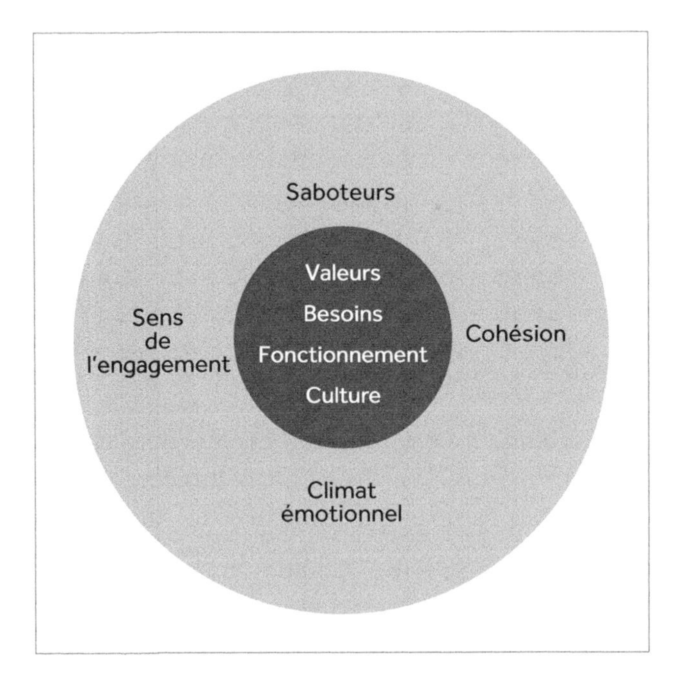

Les saboteurs sont les mythes et les croyances qui freinent l'épanouissement de la famille dans son ensemble. Ils peuvent aussi être des rôles portés par certains membres de la famille qui deviennent porteurs de symptômes. Par exemple, si l'un des membres de la famille est opposé au projet d'expatriation, il peut pointer sans arrêt les aspects négatifs du projet, être dans des reproches, se positionner dans un constant désaccord, ce qui rend l'épanouissement de l'ensemble de la famille plus difficile.

Le climat émotionnel représente la nature des relations existantes entre les membres de la famille et qui donne l'ambiance familiale générale. Il peut être alimenté par le respect, la rivalité, l'admiration, les encouragements ou les rancœurs, par exemple. Là aussi, tout le groupe peut être touché par l'état émotionnel d'un des membres du groupe, par exemple en cas de stress, de violence ou de tristesse. Si le lieu de vie ne correspond pas à l'ensemble de la famille, c'est dans son ensemble que l'expatriation sera également affectée.

Le sens de l'engagement se retrouve dans la volonté de chacun de faire fonctionner le groupe familial, pour le bien de tous.

La cohésion provient de l'ensemble des caractéristiques partagées par tous. Un « principe de totalité » signifie que l'ensemble familial n'est pas réductible à la somme des membres de la famille. La famille est un tout.

Le système familial est tributaire à la fois de son fonctionnement interne et de son ajustement à l'environnement. Des modalités de communication, de cohésion, de respect et d'engagement sont en jeu à l'intérieur du système familial, mais également dans les interactions extérieures. On peut mesurer une flexibilité de la famille tant dans son ensemble qu'au niveau de chaque membre de la famille.

Les facteurs d'ajustement à l'environnement

La famille, constituée en groupe social, va alors devoir trouver sa place dans l'environnement de vie où elle se trouve. Les facteurs d'ajustement qui vont y contribuer sont la communication, l'adaptabilité, la solidarité et la congruence.

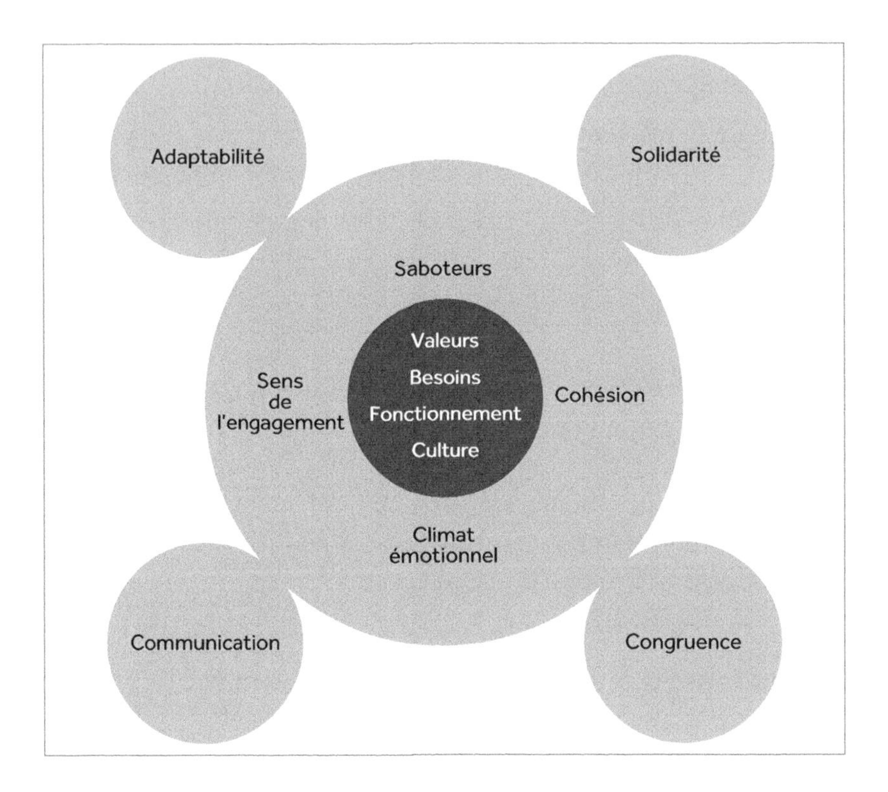

La communication est la qualité des messages échangés entre les membres de la famille et aussi avec l'environnement extérieur.

L'adaptabilité est la capacité à intégrer la société environnante sans renoncer à ses principes de base constituante. C'est réussir à faire correspondre une culture familiale à une culture externe et à des normes spécifiques.

La solidarité est l'entraide entre les membres de la famille pour permettre son installation et sa réalisation dans le cadre social.

La congruence est l'alignement entre ce que la famille est, ce qu'elle fait, ce qu'elle ressent et ce qu'elle dit. C'est la cohérence qu'elle maintient et qui lui permet d'accueillir des éléments nouveaux de l'environnement quand ils sont en accord avec son fonctionnement ou qu'ils ne déstabilisent pas son fonctionnement général.

La famille cherche à maintenir sa structure constante et sa capacité d'évolution tout en alternant des phases d'équilibre avec des phases de déséquilibre. Avec un fonctionnement et une organisation qui lui sont propres, la famille expatriée doit faire face à différentes pressions : des changements externes survenant dans l'environnement, et également des altérations internes se répercutant sur l'ensemble du système familial, par exemple lorsque l'un des membres de la famille vit difficilement la mobilité internationale. La migration familiale peut aussi se démultiplier et impliquer une véritable nomadisation géographique récurrente. Marquée par une mobilité internationale répétitive, l'histoire familiale s'enrichit en expériences variées et en une connaissance culturelle plus importante. Les besoins d'adaptation répétitifs requièrent de tous une souplesse importante dans cette pénurie de stabilisation. C'est dans une instabilité que les familles nomades fondent leur propre stabilité. Elles s'implantent dans une incertitude tant temporelle que géographique, avec parfois un désir de profiter au maximum de l'instant présent, mais aussi avec les regrets de ce qui a été laissé et de ce qui va être à nouveau quitté. Le présent porte en lui un arrière-goût de nostalgie combiné à l'exaltation d'un nouveau projet et éventuellement d'un autre départ.

Amélia raconte que son expatriation à Taïwan a été une épreuve pour toute la famille. Elle avait de grandes difficultés à s'adapter, se sentant très isolée et avec une perte totale de confiance en elle-même. Pour ne pas répercuter son mal-être à toute la famille, elle avait choisi de garder pour elle ses sentiments négatifs et n'avait pas souhaité en faire part ni à son mari ni à ses enfants qui faisaient de grands efforts d'adaptation. Sans s'en rendre compte, elle s'était installée dans une dépression masquée qui l'avait étouffée. Toute la famille en avait en fait subi les conséquences. Peu à peu, le manque de communication s'était généralisé à l'ensemble de la famille, et celle-ci avait perdu toute cohésion, comme si des étrangers cohabitaient sous le même toit. C'est lorsqu'un soir sa fille aînée a fondu en larmes qu'Amélia s'est rendu compte que l'adaptation apparente de tous n'était que superficielle et que sa présence autrefois active, chaleureuse et bienveillante manquait cruellement à tous. Ce déclic lui a permis de prendre la décision de consulter un thérapeute pour l'aider à surmonter cet état, et graduellement les liens familiaux se sont ressoudés et une vie sociale plus riche s'est installée. Peu à peu un travail d'intégration avec activités extérieures, invitation d'amis, cours de langue, reprise des loisirs a fait partie du fonctionnement familial.

À l'intérieur même de la famille migrante, une disparité culturelle peut naître. Des enfants ayant vécu de nombreuses années dans le pays d'accueil, qui y sont parfois nés, peuvent développer une culture et des besoins différents de ceux de leurs parents. Le noyau identitaire devient souple pour accepter une certaine flexibilité dans les repères.

La famille est un groupe d'individus différents, évoluant chacun à son rythme, mais qui va devoir affronter ensemble un chamboulement total de son environnement.

Comment aider la famille à développer son intelligence nomade familiale

Différents comportements sont bénéfiques pour améliorer la réussite de la vie à l'étranger de votre famille.

- ✓ Maintenez la cohésion familiale : les règles de vie de la famille, les principes d'éducation, la langue parlée, les traditions et les coutumes provenant de la culture d'origine sont maintenues au sein du foyer.
- ✓ Ouvrez-vous à la nouveauté : la famille est aussi une histoire qui se développe. Certaines coutumes locales peuvent être intégrées, une nouvelle langue peut être apprise et de nouvelles saveurs être adoptées. L'expatriation intègre cette histoire familiale.
- ✓ Tolérez la multiculturalité : avec souplesse, les enfants peuvent apprendre qu'à la maison « on fait comme cela » mais à l'extérieur « on fait autrement ». Par exemple, à la maison on parle une langue, à l'école une autre. Différentes cultures coexistent.
- ✓ Soyez à l'écoute des besoins de chacun dans la famille : chaque membre de la famille peut réagir différemment face à l'acceptation et à l'intégration de la nouvelle culture. Il est important d'accepter les particularités et les stratégies individuelles.

Les cellules familiales complexes à l'étranger

Les familles qui partent en expatriation ne correspondent pas toujours au modèle classique de la famille nucléaire. Il existe une nomadisation des familles avant même le départ à l'étranger. Les relations parentales ont évolué avec l'essor des familles recomposées ou monoparentales. Les principes d'éducation se sont complexifiés par le métissage des familles multiculturelles. Lorsque la culture familiale s'évertue à trouver un équilibre malgré la complexité de sa genèse, l'expatriation devient un élément perturbateur supplémentaire qu'il va falloir réussir à négocier. Quand il s'agit de familles monoparentales ou de familles recomposées, le fantôme du parent absent fait aussi partie du voyage.

Des familles recomposées qui partent s'installer à l'étranger

Dans un premier temps, il y a un aspect juridique à considérer. Le parent n'ayant pas la garde de l'enfant doit donner son autorisation au départ. Des conflits provenant de la crise de la séparation sont réactivés. Il ne s'agit plus uniquement de s'accorder sur des modes de garde et des droits de visite, mais il est dorénavant nécessaire de les mettre en place malgré la distance. De nombreux projets d'expatriation sont annulés ou reportés, car l'autre parent refuse de voir son enfant s'éloigner.

Caroline explique ses difficultés pour pouvoir suivre son mari à l'étranger avec un enfant issu d'une relation précédente : « Lors du jugement du tribunal, le père de mon fils a eu le droit à un week-end sur deux et la moitié des vacances. Avant notre départ pour les États-Unis, nous avons dû repasser au tribunal pour acter le fait que le père ne s'opposerait pas à notre départ. Le juge a penché en notre faveur, expliquant au père que c'était une opportunité exceptionnelle pour l'enfant. En contrepartie, il a demandé à ce que nous déposions l'enfant à son domicile deux semaines à Noël et six semaines pendant l'été. À l'issue de la première année, le père a décidé de couper les ponts, sans plus donner aucun signe de vie.

Notre avocat nous a vivement conseillé d'écrire au procureur de la République ainsi qu'à la gendarmerie du lieu de résidence du père, expliquant que sans nouvelles de lui nous ne pouvions pas présenter l'enfant. De ce fait, nous étions couverts au cas où le père nous attaquait pour "non-présentation d'enfant". Nous avons donc renouvelé nos courriers deux fois par an, pendant plusieurs années. Ce qui est bon à savoir lorsque l'on vit à l'étranger, c'est que de nombreuses procédures peuvent se faire à distance. Pour la pension alimentaire non respectée, nous sommes passés par un huissier pour obtenir une saisie sur salaire. Pour les courriers recommandés, le site de La Poste a un service en ligne qui permet d'envoyer électroniquement une lettre recommandée avec confirmation par e-mail de n'importe où dans le monde. »

Lorsque l'expatriation a lieu au sein d'une famille recomposée, le vécu émotionnel lié à l'absence peut être assez intense. Pris dans un conflit interne où le sentiment de loyauté et d'attachement envers le parent absent est fort, l'enfant peut éprouver encore plus de difficultés à s'intégrer dans un pays qui l'éloigne du parent absent. Il peut s'interdire de « refaire sa vie » ailleurs pour ne pas lui donner l'impression d'une trahison. Un sentiment d'abandon peut également naître. Si la blessure provenant de la séparation initiale entre les parents est encore vive, ou bien, si la nouvelle cellule familiale constituée du beau-parent est récente, trouver sa place dans une configuration familiale non familière et dans un pays où tout est nouveau peut être fortement éprouvant pour l'enfant. En perte de repères jusqu'à l'intérieur même de sa cellule familiale, l'enfant peut se sentir totalement perdu. Quand la relation au beau-parent est conflictuelle, ce rapprochement imposé par la dépendance socio-juridico-économique et par le manque de repères environnementaux peut être encore plus difficile à accepter.

À l'inverse, l'expatriation peut également souder les liens entre les nouveaux membres de la famille. Certains enfants se sentiront même rassurés par la proximité et la solidarité dont doit faire preuve toute la cellule familiale pour affronter une épreuve qui les touche tous et ne le stigmatise pas lui uniquement. Quand certains enfants ressentent le poids d'être « l'enfant de l'autre » ou même d'être le demi-frère différent au sein de la fratrie, être un étranger dans le nouveau pays comme tous les membres de la famille permet de créer une sorte d'égalité statutaire et identitaire réconfortante. Tous sont étrangers, tous doivent trouver leur place, tous doivent relever le challenge de l'expatriation. Pour tous, le fantasme de pouvoir « commencer une nouvelle vie » dans cet ailleurs peut être un formidable moteur de réalisation individuelle et familiale.

Des familles qui sont séparées par l'expatriation

Parfois, l'expatriation sépare les familles de façon non souhaitée ou anticipée. Il se peut que le contrat professionnel d'expatriation ne soit proposé qu'au salarié sans que la famille puisse suivre, ce qui est le cas dans des pays à risques ou pour certaines professions militaires ou pétrolières. Il se peut aussi que la possibilité de migration soit une opportunité à saisir pour l'expatrié, mais qui ne s'accorde pas avec les besoins de tous les membres de la famille, par exemple lorsque les enfants terminent leurs études secondaires ou supérieures, ou bien lorsque le conjoint ne peut pas perdre son poste.

On désigne par le terme de « célibataires géographiques » les professionnels envoyés à l'étranger sans leur famille, souvent dans le cadre de missions courtes. Selon une étude[1] sur ces « célibataires géographiques », l'absence de la famille entraîne des difficultés émotionnelles et logistiques importantes, avec notamment une culpabilité

1. http://centremagellan.univ-lyon3.fr/fr/articles/88_455.pdf

liée au fait de ne pas pouvoir participer à la vie des enfants et ne pas être présent auprès de son conjoint. L'étude conclut : « Il apparaît ainsi que, au lieu d'augmenter les chances d'adaptation et donc de réussite à l'expatriation, cette pratique se solde par un affaiblissement du potentiel d'adaptation des cadres expatriés. Privés du soutien logistique, affectif et social de leur famille, les cadres vivent mal la séparation et présentent de nettes difficultés d'adaptation. Ces difficultés sont encore plus sévères lorsque le départ seul n'a pas été librement choisi. » Les séparations touchent ainsi le couple parental bien que l'union conjugale perdure. Il s'agit alors de pouvoir vivre sans son partenaire tout en étant attaché à lui. Il est à noter que même lorsque l'expatriation s'effectue en famille, si l'expatrié est amené à se déplacer très fréquemment, c'est ce même ressenti qui peut être vécu par le conjoint. Celui qui est souvent absent apprend aussi à vivre sans sa famille. Un clivage se produit avec, d'un côté, un investissement professionnel et, de l'autre, une construction familiale, affective et sentimentale qui en est dissociée de façon radicale. Certains apprécient cette dichotomie, tandis que d'autres en souffrent. Une frustration omniprésente peut alors démotiver et atteindre l'humeur.

Joséphine me raconte comment elle a parfaitement réussi à se créer un équilibre entre les deux parties de sa semaine : « Pendant les jours de la semaine, mon mari est en déplacement. Je m'organise avec les filles, j'ai mon planning et ma manière de faire. Bien sûr qu'il nous manque, mais on a mis en place une routine qui nous va bien. Le week-end il est là et toute l'organisation devient du gros n'importe-quoi ! *(rires)* Je crois que ça lui convient aussi parce que comme cela il peut bosser comme un fou pendant la semaine et profiter à fond de nous le week-end. »

Les séparations à caractère international peuvent aussi toucher les enfants. Les enfants s'éloignent de leurs parents de façon précoce le plus souvent pour des raisons éducatives. Soit il s'agit d'enfants qui partent faire leurs études à l'étranger, soit, à l'inverse, c'est la famille qui part, mais en laissant les enfants au pays. Pour les jeunes adultes qui s'expatrient pour suivre des études internationales, ils font face à deux transitions simultanées à gérer. Ils quittent le nid familial alors qu'ils ébauchent tout juste leur vie d'adulte, parfois sans même avoir encore atteint l'âge de la majorité, et ils doivent aussi faire face aux différences socioculturelles du nouveau cadre de vie. Pour les parents, plusieurs sentiments peuvent naître ; une culpabilité et une inquiétude de ne pas pouvoir répondre facilement aux besoins de leur enfant éloigné, et également une angoisse de laisser l'enfant affronter un monde adulte sans filet. Parfois des mesures de précaution sont mises en place par la présence d'un tiers ayant une valeur de substitut parental.

Isabelle témoigne du départ de sa fille aînée partie étudier au Québec tandis que la famille est expatriée au Kansas : « Étrange sentiment que de voir partir son enfant à l'université en étant soi-même expatrié. À découvrir pratiquement seuls les rouages du système éducatif de notre pays d'accueil, nous avons été pris dans un tourbillon de nouveautés à gérer. Prise dans les aspects administratifs depuis plusieurs mois, je n'avais pas vraiment anticipé l'aspect affectif d'un tel départ. C'est en voyant ma seconde éclater en sanglot dans les bras de sa sœur lors de son départ que j'ai enfin réalisé l'impact affectif de cette nouvelle situation. Ce n'était pas uniquement son départ, c'était aussi une perte de repère pour ses frères et sœurs l'ayant toujours vue à la maison.

Réaliser qu'elle n'avait pas vraiment de possibilités à rester ici, avec la nécessité de s'extirper de l'endroit où nous vivons pour retrouver une ambiance plus ouverte sur l'international, avec une plus grande ouverture sur le monde. Du côté de la famille, j'ai réalisé que nous ne serions plus que cinq à table. On se sentait déjà orphelins. C'est comme une seconde perte. Les parents et la famille d'un côté, notre enfant d'un autre. Un sentiment d'écartèlement irrémédiable dans notre vie de nomade. »

Des familles qui deviennent multiculturelles

L'expatriation peut également favoriser l'émergence de familles multiculturelles. À l'étranger, des expatriés célibataires peuvent en rencontrer d'autres ou bien des locaux et fonder ainsi des familles issues d'un métissage ethnique. La rencontre de deux ou plusieurs origines culturelles implique un accord parental sur ce qui sera transmis à l'enfant idéologiquement, culturellement, religieusement et traditionnellement. Marie Rose Moro[1] précise : « Souvent, dans les faits, se crée un troisième espace qui transcende et métisse ces différentes appartenances, ces différentes manières de voir et de faire, dans un rapport de force constant, mais souterrain, qui peut rejaillir dans les moments de crise. Dans ce troisième lieu aussi, on projette ses fantasmes individuels et collectifs ; on emmène ses bagages. »

L'impact de l'interculturel pénètre les familles expatriées également par la présence d'assistantes maternelles locales dans les pays d'expatriation. Ce substitut parental favorisera chez l'enfant une transmission culturelle au travers d'une relation fortement marquée par

1. Marie Rose Moro, *Nos enfants demain*, *op. cit.*

l'affect. Toujours selon Marie Rose Moro[1] : « On considère implicitement que la nounou ne transmet pas sa culture en même temps que les soins du quotidien. Or elle transmet, par la langue ou même sans parler la langue, par les soins qu'elle prodigue, par sa manière de faire avec le bébé, toute une vision du monde et du bébé dans ce monde. » La nounou est ainsi un élément extérieur qui pénètre la famille et participe au métissage.

L'expatriation pour des raisons familiales non professionnelles

Une autre cause d'expatriation familiale peut provenir du handicap d'un membre de la famille. Plusieurs milliers de personnes handicapées d'origine française séjournent dans des établissements en Belgique à cause d'un manque de prise en charge et de places disponibles en France.

Élisabeth explique combien l'expatriation aux États-Unis a été bénéfique pour la prise en charge de son fils autiste qui n'avait pas en France de prise en charge adaptée : « Toute la famille souffrait de la situation... Je suis institutrice, je me suis mise en disponibilité pour suivi de conjoint et on s'est lancés dans l'aventure. Le *school district* en Californie nous a offert un super accueil. Deux jours après les avoir rencontrés, notre fils avait une place dans une classe. En France, il aurait fallu déposer un dossier, attendre six mois pour qu'il passe en commission, et ensuite un an pour qu'il ait réellement une place quelque part... Leur politique, c'est de donner à l'enfant ce qu'il avait comme soutien dans son pays

1. *Idem.*

d'origine, de l'évaluer pendant un mois et de donner leur avis sur la suite. En France, on n'a rien en attendant que la situation soit statuée. À la rentrée, ils ont pris un mois et demi pour faire un bilan psy, orthophonique, d'ergothérapie et de motricité globale. Les prises en charge sont incluses dans la classe, plus de transport fatiguant d'un libéral à un autre. La maîtresse est spécialisée, les éducateurs sont formés et il y a un ratio d'un adulte pour deux ou trois enfants. Nous avons aussi le droit d'observer la classe au travail. Mon fils est motivé, son estime de soi est regonflée ! On ne se sent pas jugés comme en France, les gens sont accueillants et pour eux les personnes handicapées ne sont pas un fardeau.

De plus en plus de Français partent aussi s'installer à l'étranger au moment de la retraite. C'est ce que l'on nomme la « *silver expatriation* » en référence aux cheveux poivre et sel de ces nouveaux types d'aventuriers. Les retraités décident de s'installer à l'étranger pour des raisons le plus souvent économiques. Ils choisissent des destinations où ils peuvent avoir un meilleur niveau de vie. Le palmarès des destinations les plus prisées pour la retraite serait le Maroc, la Thaïlande, l'île Maurice, la Tunisie et le Portugal. Les critères de choix des pays sont le coût de la vie, le climat, la culture, la santé ainsi que la sécurité.

Denis a choisi de s'installer en Espagne au moment de sa retraite : « Mon fils vit en Espagne et est très content de son expérience, ça a compté sur mon choix de partir lorsque je me suis retrouvé à la retraite. Aussi, ayant un chien, la destination de l'Espagne était facile, je pouvais partir avec ma propre voiture sans problèmes de transports pour lui. Je pouvais aussi ne faire qu'un mini-déménagement et emmener au moins quelques livres qui me sont chers. J'y ai trouvé une situation climatique très agréable, la proximité de la mer aussi. Et puis l'immobilier n'est pas cher ! L'ancien est très abordable, les superficies sont belles. Il n'y a pas de taxe d'habitation, pas de redevance télé, seulement une taxe foncière pour les propriétaires, mais minime par rapport aux taxes françaises. Très peu de charges. On ne chauffe pas. Les denrées alimentaires sont aussi meilleur marché. »

Au niveau familial, des grands-parents expatriés n'ont plus le même rôle dans la vie de leurs petits-enfants. Vivant loin, les contacts sont raréfiés. La représentation traditionnelle des grands-parents, vecteurs de stabilité, implantés dans la région géographique des origines, change pour symboliser à l'inverse l'aventure, l'exotisme et l'ouverture au monde. Le grand-parent expatrié peut alors être un modèle pour les petits-enfants non seulement d'ouverture au monde, mais aussi d'exploration des ressources multiples qui existent en soi pour aller au bout de ses projets, comme le courage et la bravoure.

Familles recomposées, familles séparées, familles atypiques ou innovantes, les familles partant s'installer à l'étranger emmènent dans leurs bagages leurs histoires, leurs blessures, leurs stigmates et leurs spécificités. L'expatriation peut sembler encore plus complexe, davantage semée d'embûches, et en même temps elle peut aussi favoriser l'émergence d'autres possibilités. En allant au-delà des frontières, les cellules familiales complexes deviennent fécondes de nouvelles opportunités créatives.

On fait le point...

1. Quelles relations entretenez-vous avec votre famille d'origine ?
2. Comment l'expatriation a-t-elle impacté votre famille nucléaire ?
3. Comment décririez-vous le noyau identitaire de votre famille (valeurs, besoins, fonctionnement et culture) ?
4. Comment les forces agissantes influent-elles sur votre identité familiale (climat émotionnel, sens de l'engagement, cohésion, saboteurs) ?
5. Comment s'effectue l'ajustement de votre famille à l'environnement (communication, adaptabilité, solidarité, congruence) ?

Chapitre 2

Interpréter ce qui se passe pour le couple en expatriation

« Les femmes d'expat expérimentées savent combien l'oisiveté est mère de tous les vices. Avant d'en arriver aux vices, pourtant, le cortège des angoisses doit vous passer sur le corps et vous labourer l'ensemble des organes. »

Claire Legendre[1]

Partir s'installer à l'étranger, c'est exposer l'individu, mais bien souvent aussi un couple, à de grands changements. Une étude[2] sur les enjeux professionnels, personnels et affectifs de l'expatriation indique que les difficultés ne sont pas toujours pleinement prises en compte par le conjoint suiveur avant le départ. Or, si la décision d'expatriation est concertée, si le conjoint prend une position de collaborateur volontaire, en étant un membre actif du projet, l'expatriation se passe beaucoup mieux. Une grande part de la réussite de l'expatriation repose en effet sur la satisfaction du conjoint dans cette aventure. Que ce départ soit volontaire ou fortement encouragé par des impératifs professionnels, l'initiateur de l'expatriation porte une responsabilité non seulement professionnelle, mais également financière, morale, familiale et psychologique assez conséquente. Son conjoint,

1. Claire Legendre, *Vérité et amour*, Grasset, 2013.
2. www.femmexpat.com/wp-content/uploads/2013/01/Etude_panorama_expat_feminin.pdf

particulièrement s'il ne travaille pas, devient alors souvent le garant des responsabilités parentales, sociales, éducatives, linguistiques et même alimentaires, ce qui crée également sur lui une grande pression. Ce partenaire possède aussi ses propres aspirations, ses peurs et ses fantasmes, qu'ils soient professionnels, familiaux ou personnels.

Les répercussions de l'expatriation pour le couple

Aux États-Unis, on appelle les conjoints « *trailing spouses* », c'est-à-dire les conjoints suiveurs. Une connotation de passivité et de soumission peut être véhiculée dans ce terme alors que bien au contraire la part active de ce conjoint est primordiale. Un débat lors de la conférence FIGT[1] (Families in Global Transitions) de 2011 a été organisé autour du terme à employer pour les désigner. Apple Gidley a proposé l'acronyme STARS qui signifie « Spouses Traveling and Relocating Successfully », c'est-à-dire : les conjoints en déplacement qui réussissent leur relocation. Pour des soucis de clarté terminologique, nous allons désigner celui à qui revient l'origine de l'installation à l'étranger comme « l'expatrié », et ce indépendamment du sexe ou du statut professionnel. Le partenaire qui supporte de façon positive ou non le projet international sera désigné par le terme de « conjoint », et ce quelle que soit sa situation professionnelle.

Quand l'expatriation renforce le couple

Certains couples vivent l'expatriation comme une aventure qui les a rapprochés. Partir vivre à l'étranger peut d'ailleurs provenir d'un

1. http://www.figt.org/

désir commun. L'opportunité de « repartir de zéro » peut même raviver la passion des débuts. Face aux difficultés de l'installation, certains couples deviennent plus solidaires et plus empathiques. Certains apprécient les qualités de soutien et d'encouragement de leur partenaire. De l'admiration et de la reconnaissance mutuelle peuvent également être présentes. La réussite de l'expatriation est alors un projet commun chez un couple qui fait équipe et qui permet à chacun des partenaires de trouver satisfaction et épanouissement. L'expatriation faisant évoluer et modifiant les habitudes, elle permet également de se découvrir des talents cachés ou de découvrir chez son conjoint des particularités méconnues.

L'éloignement avec les parents peut également être bénéfique quand ces derniers étaient omniprésents dans la vie de la famille en construction. Dorénavant, ne pouvant compter que l'un sur l'autre, le couple s'émancipe et ne porte plus cette pression intrusive. Il faut néanmoins veiller à maintenir une vie conjugale présente malgré les difficultés possibles pour se retrouver.

Une discordance et une disharmonie qui peut s'installer dans la vie du couple

Lorsque le conjoint ne se sent pas personnellement impliqué dans le projet d'expatriation, voire lorsqu'il a l'impression de subir cette migration, une relation empreinte de reproches et de rancœurs peut s'installer. Si le conjoint n'est pas épanoui et qu'il a du mal à s'adapter, il peut même ressentir une profonde colère et un sentiment d'injustice envers son partenaire. Parfois, c'est une synchronie qui s'installe dans le couple. Un décalage dans le rythme s'établit au sein du couple, avec un éloignement dans le dynamisme et les activités qui sont entreprises. L'expatrié, actif, s'implique dans son travail, tandis que son conjoint s'installe dans une mélancolie atonique. Le mari est dans une dynamique de succès et de promotion, tandis que le conjoint se vit dans l'échec et un gâchis de carrière.

Le film de Sofia Coppola *Lost in Translation* (2003) présente cette problématique d'expatriés désœuvrés qui ne trouvent leur place ni au Japon où ils vivent, ni dans leur vie conjugale où ils se sentent délaissés. L'ennui, la solitude, les insomnies, le choc culturel, le fait d'être perdu dans cette ville étrangère et dans leur propre relation de couple les rapprochent dans une aventure extra-conjugale platonique.

Le stress propre au fait de s'expatrier va également fortement affecter la qualité de la relation conjugale. L'expatrié fait face à de véritables défis professionnels. Il est en outre parfois la seule source de revenu du foyer. Face aux pensées négatives du conjoint, le partenaire expatrié peut ressentir un rejet et un agacement. Dé-idéalisation et déception sentimentale s'immiscent dans le couple, et le jeu de la séduction s'émousse. Des liens conjugaux ainsi appauvris où l'essence amoureuse même s'évapore présagent une véritable crise du couple. Si le stress des responsabilités professionnelles rencontre le stress de l'insatisfaction familiale, c'est tout le projet d'expatriation qui vacille.

Sabrina m'explique ses problèmes de couple lors de la première année d'expatriation : « Il sortait tout le temps ! Bien sûr, au début, je me suis dit que c'était bien parce qu'il se faisait de nouveaux copains au boulot, donc c'était important. Mais moi, j'étais seule toute la journée à m'occuper des deux petits, de la maison, des repas... le soir j'étais lessivée ! Et lui me reprochait de ne plus vraiment prendre soin de moi et de ne pas vouloir de lui le soir au lit, mais j'étais juste claquée ! Il me reprochait aussi de ne pas sortir avec des copines, on pouvait prendre une baby-sitter. Mais je n'avais pas de copines ici, je ne connaissais personne, moi ! Je voyais bien qu'il était déçu quand il me retrouvait le soir parce que je n'avais rien à lui raconter à part des histoires de couches ou le fait que j'en avais marre d'être toujours toute seule. Alors on s'engueulait de plus en plus, et lui partait en claquant la porte retrouver ses potes. Les enfants ne le voyaient plus, il n'était plus jamais là, toujours parti boire des bières je ne sais où... Je ne le reconnaissais plus à jouer au célibataire attardé, et moi il ne me reconnaissait plus en mégère dépressive... »

Le problème de l'éloignement entre les partenaires du couple est une difficulté fréquente. **Cette distance s'installe pour commencer dans la communication conjugale.** Le conjoint, à qui revient la responsabilité des tâches domestiques et familiales peut avoir l'impression qu'il n'a rien d'intéressant à raconter à son compagnon, et ce dernier peut avoir l'esprit accaparé par des soucis professionnels. Sans échange verbal entre eux, une cohabitation conjugale sans communication ni quantitative ni qualitative prend forme. Les malaises et les souffrances sont tus, ce qui éloigne d'autant plus les époux. Une distance géographique est également souvent présente. Dans un contexte de travail international, de nombreux expatriés se déplacent fréquemment à travers le monde, s'absentant le temps de missions plus ou moins longues à l'extérieur du foyer. Le conjoint se retrouve alors dans une situation d'isolement, en charge des enfants, dans un environnement qu'il ne maîtrise pas toujours, avec un réseau social parfois limité. Une alternance de vie maritale et de vie de célibataire peut provoquer chez le conjoint une cyclothymie émotionnelle, avec des périodes plus euphoriques quand le mari est là et des périodes de baisse d'humeur quand il est absent, ou l'inverse. Pour l'expatrié aussi se succèdent des intervalles de vie en célibat fortement investis socialement et professionnellement, avec des moments familiaux où le rôle parental auprès des enfants peut être à réaffirmer et une place dans le foyer à retrouver.

Des séparations physiques ont aussi lieu lors des retours au pays de la famille pendant les vacances scolaires. Certaines familles décident de rentrer plusieurs semaines, ou même plusieurs mois l'été, afin de renouer avec leur pays d'origine, retrouver leur famille, stimuler la langue maternelle des enfants et renforcer l'identité d'origine de ces derniers. L'expatrié, qui a le plus souvent un temps limité de congés, reste alors seul à domicile. Libéré des contraintes familiales pour ses horaires et ses activités, il peut trouver un mode de vie plus en accord avec son rythme personnel, mais aussi éventuellement davantage d'opportunités d'investir la sphère sociale.

Séparations et ruptures complexes en expatriation

Des aventures extra-conjugales peuvent naître de ces nombreuses séparations. Lors des déplacements, ou lors des périodes de solitude, l'expatrié peut succomber à des tentations adultérines. Des destinations exotiques, des soirées alcoolisées, des incitations relationnelles sont autant de possibilités propices à l'infidélité. Si de surcroît dans le couple s'est installé un appauvrissement sexuel, alors les frustrations et les besoins libidinaux seront des incitateurs d'autant plus puissants. Il est à noter que le pic du taux d'expatriation en famille se situe souvent entre 30 et 50 ans, ce qui coïncide avec ce qui est communément désigné comme « la crise de la quarantaine » dont nous avons parlé en première partie. Une lassitude conjugale peut s'être installée, avec un épuisement dû aux tâches parentales, le tout amplifié par les tensions et les épreuves de l'expatriation. Un besoin de sentir son pouvoir de séduction opérer peut également être présent. Ces différents facteurs s'additionnent et lorsqu'ils rencontrent un sentiment de vide et un désir de renouveau, l'expatrié ou son conjoint peut rechercher une satisfaction par ailleurs.

Dans son roman *Vérité et amour*[1], Claire Legendre raconte l'histoire d'une femme de diplomate expatriée à Prague. Désœuvrée, rapidement elle se sent à la fois étrangère dans ce pays, mais aussi étrangère dans son couple. Elle sombre dans une dépression alors que son couple explose : « Cléo dit qu'il y a trois issues pour les femmes d'expat : l'alcoolisme, l'adultère ou l'enfantement. Ah, j'oubliais, dit-elle en tirant sur un cigarillo à la vanille : l'émancipation ! »

Les problèmes dans le couple peuvent être à l'origine de désir de séparation ou de divorce. Or, des ruptures officielles ne peuvent pas toujours se faire lors d'une vie à l'étranger. Il peut être difficile de divorcer à l'étranger pour des raisons administratives, comme les visas, financières et logistiques ou en raison de la garde des enfants. Pour ne pas faire exploser la famille, certains couples qui ne s'aiment plus décident de maintenir un statut marital pour permettre au conjoint de ne pas perdre son autorisation de séjour dans le pays. Certains conjoints rentrent dans leur pays pour retrouver plus aisément un emploi ou pour se rapprocher de leur famille, mais lorsqu'ils sont partis plusieurs années, la réadaptation peut être particulièrement pénible. Pour les enfants, cela signifie non seulement perdre

1. *Op. Cit.*

une cellule familiale stable, mais aussi changer de pays et perdre leur environnement et leurs relations amicales. Alors qu'ils sont partagés dorénavant entre deux maisons distinctes, mais éventuellement aussi entre deux pays ou même deux continents distincts, l'impact de la séparation des parents peut être très difficilement vécu par eux. Les conséquences légales, juridiques et financières d'un divorce dans le cadre d'une expatriation peuvent aussi être lourdes de conséquences pour les familles. Dans le cas où l'expatrié ou son conjoint possèdent différentes nationalités, différentes juridictions entrent alors en jeu pour statuer sur les compensations financières et sur la garde des enfants.

Magali s'est demandée si elle devait repartir ou rester quand son mari l'a quittée : « Il y a seize ans, nous arrivions de France au Brésil. Moi, j'avais laissé ma carrière en France et j'avais dû me réinventer. Pas de regret. Mais quand au bout de seize ans il m'a annoncé qu'il voulait le divorce, j'avoue que la chute a été sévère. Être expatriée à quatre, en famille, c'est une chose. Seule avec un fils à l'université et l'autre au lycée, ce n'est pas pareil ! J'ai pensé rentrer auprès de ma mère et mes frères. Par contre, au bout de seize ans étais-je encore expatriée ? Française, brésilienne, je ne sais plus. Ma famille, c'était nous quatre et notre divorce était probablement aussi dû au fait que lorsque le cercle est si petit, on demande plus de l'autre. Mais au bout de tant d'années, ma famille, c'était aussi mes amis et repartir voulait dire les quitter pour un pays dont je ne connais plus grand-chose. »

Selon une enquête réalisée en 2013 pour la 5e Convention Mondissimo de la mobilité internationale et du commerce international[1], 35 % des Français expatriés, en situation de divorce ou de séparation, attribuent la cause de leur échec conjugal à l'expatriation. Toutefois, l'expatriation n'est pas toujours la seule cause des ruptures. Des difficultés conjugales sont souvent déjà présentes avant la migration et l'expatriation ne fait que les aggraver. Un couple qui connaît déjà des tensions avant même le départ pour l'étranger sera affaibli et moins préparé à affronter les nombreuses difficultés inhérentes à l'expatriation, comme les besoins de réajustement individuel et familial.

Renforcer le couple par l'expatriation

En expatriation, le couple peut être fragilisé. Adoptez alors un comportement vous permettant de contribuer à le renforcer.

- ✓ Investissez-vous pleinement dans le processus d'expatriation en déterminant des projets familiaux, personnels et de couple.
- ✓ Instaurez des rituels pour le couple : des rendez-vous complices, la réalisation d'activités en commun, favorisez les échanges, intéressez-vous à ce qui se passe dans la vie de votre partenaire.
- ✓ Maintenez un esprit d'équipe solidaire, en faisant preuve d'empathie, de respect, de gratitude et de compréhension dans les interactions.

Les bénéfices pour le conjoint

Afin de ne pas se positionner comme un accompagnateur passif qui subit la migration, le conjoint doit prendre une part active dans l'expérience internationale. C'est en envisageant la possibilité de tirer un profit personnel d'une expatriation que celle-ci lui est bénéfique.

1. *Expatriés, votre vie nous intéresse...*, Mondissimo, 2013.

Une réalisation personnelle à ne pas négliger

La question de la réalisation personnelle à travers un projet personnel est au cœur de la problématique du conjoint qui accompagne. Ce projet qui rencontre à la fois ses désirs, ses envies et ses valeurs individuelles fonctionne comme une boussole. Il peut être d'ordre professionnel, personnel, familial ou social. Les bénéfices en sont une satisfaction, une fierté, une reconnaissance et un sentiment d'utilité valorisante.

C'est ainsi à travers un équilibre entre quatre axes importants d'actions que le projet de vie est mené à bien : « pouvoir » pour l'aspect social et relationnel, « avoir » pour l'aspect lucratif, « aimer » pour la partie affective et familiale, « être » pour le développement personnel. Gaëlle Goutain et Adélaïde Russell[1] insistent sur l'aspect subjectif de la notion de réalisation de soi, qui combine l'idée de « réussir sa vie » et de « réussir dans la vie » : « Un projet de vie s'avère satisfaisant lorsqu'il intègre les quatre grands axes qui doivent être présents bien que représentés chacun à leur niveau suivant l'envie du sujet. »

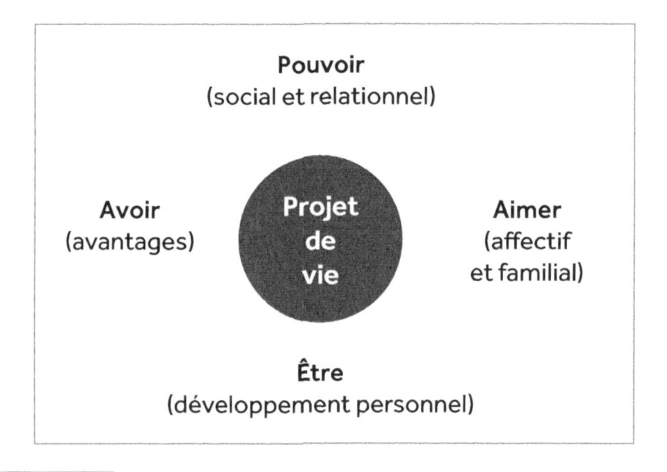

1. Gaëlle Goutain et Adélaïde Russell, *Conjoint expatrié, réussissez votre séjour à l'étranger*, L'Harmattan, 2011.

L'idée de « **pouvoir** » signifie s'investir dans des projets faisant appel aux envies. Certains conjoints profitent de l'opportunité qui leur est offerte de ne pas avoir à « travailler pour l'argent », mais pour approfondir une activité artistique ou récréative. C'est la possibilité de réaliser un rêve. « Pouvoir » signifie ainsi s'autoriser à investir un domaine qui nous plaît à nous et non aux autres. Partir à l'étranger peut être la possibilité de s'émanciper de principes aliénants au profit d'une liberté de réalisations personnelles.

Au niveau de l'« **avoir** », le conjoint peut aussi réfléchir à ce qu'il souhaite obtenir de son expérience internationale. Cela peut concerner de nouvelles compétences, des formations ou d'autres connaissances. L'expatriation peut alors être source de bénéfices directs comme une meilleure situation socio-économique, des privilèges domestiques ou une activité professionnelle novatrice. Envisager l'expatriation comme un gain pour le conjoint permet de mettre en avant le versant positif d'une expérience complexe.

Pour ce qui est d'« **aimer** », l'expatriation peut être le moyen de solidifier les liens interpersonnels au sein de la famille. L'expatriation peut renforcer les attaches entre les membres de la famille. Certains parents peuvent parfois surinvestir leur fonction parentale, ce qui leur permet de trouver un sens à leur quotidien et une fonction valorisante socialement. Le danger est alors de vivre un épanouissement par procuration, en faisant porter sur les enfants le remède à une vacuité personnelle. Trouver un espace de réalisation à soi en dehors de la cellule familiale permet d'élargir les sources de stimulation, d'accroître les relations interpersonnelles adultes et d'avoir une présence non envahissante dans la vie des enfants.

Enfin, au niveau de l'« **être** », l'expatriation est pour le conjoint la possibilité d'être en harmonie avec ce qu'il est vraiment dans son for intérieur. Loin de certaines pressions familiales et sociales, le conjoint peut enfin trouver la liberté d'être soi-même. Parfois le fait même d'être étranger et donc d'être différent allège le migrant du poids de la conformité sociale. L'expérience internationale permet alors de se reconnecter avec des rêves et des souhaits intimes non explorés auparavant.

En déterminant la nature de la combinaison unique des « pouvoir », « avoir », « aimer » et « être » offerte par une vie à l'étranger, le conjoint peut se fixer des objectifs qui lui sont propres. Ces buts sont reliés à des valeurs essentielles personnelles et à des désirs intimes qui vont enrichir et légitimer l'expérience internationale. Le conjoint n'est alors pas uniquement un accompagnant subissant l'expatriation, mais un participant actif de la migration qui tire des bénéfices directs de cette expérience.

Sabine considère que l'expatriation a été pour elle une formidable opportunité professionnelle : « Je ne pouvais pas exercer mon métier ici. Rester à la maison m'a donné le temps de retrouver les vieilles idées enfouies depuis mon enfance. Ici, comme tout est possible, j'ai décidé de me lancer ! Cette liberté d'entreprendre s'est révélée exacte. Avec l'aide de bons contacts et d'amis qui guident, j'ai pu transformer mon hobby en quelque chose de plus professionnel. Bien sûr, j'ai la chance d'avoir un mari dont le travail suffit à nous nourrir et nous loger, donc la question d'argent n'est pas une contrainte. La liberté de pouvoir commencer quelque chose professionnellement sans les qualifications requises en France est extraordinaire et ouvre les portes. Après avoir démarré quatre "business", avoir exploré plusieurs pistes grâce au volontariat, j'ai maintenant un travail plus traditionnel, mais qui est le résultat de plusieurs années de travail sur moi-même. Je n'aurais jamais pu essayer toutes ces choses en restant en France, c'est pourquoi, pour moi, l'expatriation a été et reste une véritable opportunité professionnelle ! »

C'est au conjoint de se réinventer, de saisir les opportunités, et de puiser en lui les ressources nécessaires pour se construire un projet de vie enrichissant et harmonieux, réunissant à la fois des avantages sociaux, économiques, familiaux et personnels. Le conjoint est alors aux commandes de sa destinée.

La possibilité de développer son potentiel et de se découvrir

L'expatriation est aussi pour le conjoint une formidable opportunité pour développer son potentiel et étendre ses connaissances. En fait, que ce soit au travers d'une activité professionnelle, rémunérée ou non, d'une formation, d'une création d'entreprise ou bien d'une activité culturelle, artistique ou artisanale, il s'agit d'entretenir et d'enrichir ses acquis et ses compétences. Ils peuvent concerner différents domaines, comme l'apprentissage de nouveaux savoir-faire ou bien la maîtrise d'une ou plusieurs langues étrangères. Le conjoint tire profit de l'expatriation en élargissant le spectre de ses aptitudes.

Françoise évoque la possibilité d'une reconversion professionnelle qui correspond davantage à sa vision d'une vie épanouie : « Quand ma fille a eu 2 ans, j'ai vraiment senti que j'avais besoin de nourrir mon cerveau, de retrouver une activité, je voulais aussi que ma fille puisse s'épanouir auprès d'autres enfants, qu'elle ait d'autres adultes référents et qu'elle n'ait pas l'image d'une maman qui ne vit que pour son enfant. Nous l'avons donc mise en garderie tous les matins et j'ai commencé une longue formation d'herboriste-thérapeute. Je pense vraiment que l'expatriation a grandement facilité cette reprise d'étude, car nous avons la chance de pouvoir vivre sur un seul salaire. Ce que j'aime, c'est que je peux me former tout en ayant du temps pour notre fille, du temps pour notre famille et notre couple. J'ai saisi cette opportunité de l'expatriation pour changer de voie et oser quelque chose qui était complètement en rupture avec mes études initiales. Je pense que je n'aurais peut-être pas osé sauter ce pas en France et je n'en aurais pas eu les moyens financiers non plus. »

L'expatriation peut aussi être un moment propice pour se découvrir. Des ressources inexploitées sont sollicitées par le challenge de la nouvelle vie. Les situations imprévues rencontrées au cours de l'expatriation requièrent aussi des solutions innovantes et un dépassement de soi. Partir vivre à l'étranger permet aussi de découvrir d'autres façons de penser et de s'ouvrir à d'autres cultures. Le conjoint en charge des aspects pratiques pour la famille se confronte par exemple à une nouvelle façon de cuisiner, de faire les courses, et même d'avoir des échanges informels avec les passants ou les locaux. Ce n'est alors pas uniquement une compétence relationnelle qui se développe, mais de façon plus large une adaptabilité dans un nouvel environnement culturel, une curiosité intellectuelle et une ouverture à l'autre et à la différence. Une amélioration des connaissances portant sur les traditions ou les rites ethniques locaux permet aussi une plus grande compréhension d'autres cultures voisines, et du monde de façon générale. Si d'autres expatriations s'enchaînent par la suite, une meilleure souplesse de pensée et une attitude qui a gagné en tolérance peuvent faciliter les intégrations futures.

Relever les nombreux défis de l'expatriation peut être valorisant pour le conjoint, ce qui peut améliorer l'estime personnelle, la confiance en soi et l'assurance. Mais un séjour à l'étranger permet aussi d'attribuer un **caractère particulier et original au parcours individuel**, ce qui peut le distinguer des autres parcours, notamment dans une recherche d'emploi. Cela permet ainsi de mettre en avant des qualités et des compétences personnelles qui peuvent être appréciées à l'étranger ou même lors d'un éventuel retour. L'expatriation peut ainsi offrir de nombreux avantages aux conjoints qui portent un regard positif et constructif face à ce grand changement de vie.

Faire fructifier les avantages de l'expatriation pour le conjoint

Les bénéfices de l'expatriation se situent au niveau des compétences et des qualités individuelles :

- ✓ Au niveau des compétences : acquisition de nouveaux apprentissages et de nouvelles connaissances, capacité de saisir les opportunités et de se remettre en question, organisation et réactivité, élargissement de l'horizon professionnel.
- ✓ Au niveau des qualités personnelles : curiosité, plus grande acceptation des autres, aptitudes relationnelles, gestion de ses émotions, découverte de soi, capacité à gérer la nouveauté et l'imprévu.

Les difficultés du conjoint

Un des problèmes majeurs que rencontre le conjoint est l'impression de perdre une partie de son identité notamment quand il se positionne en tant que simple suiveur. Cela se traduit par une dévalorisation personnelle, un repli sur soi et par des troubles affectifs.

Les risques d'une dévalorisation personnelle

La dévalorisation personnelle apparaît lorsque le conjoint se met entre parenthèses le temps de l'expatriation. Sous prétexte que le séjour à l'étranger serait pour une durée limitée dans le temps ou bien que le visa est temporaire, certains conjoints optent pour un retrait socioprofessionnel. L'illusion est alors de se mettre en congé jusqu'au retour, date à laquelle la vie normale reprendrait son cours. Or, sans projet personnel, sans objectif à soi, l'interruption se transforme vite en vacuité et en perte de sens, ce qui atteint rapidement l'estime personnelle. Cette stratégie d'un « congé de soi le temps de l'expatriation » devient d'autant plus pernicieuse que le séjour peut parfois s'étendre dans la durée ou se transposer ailleurs lors d'une nouvelle expatriation. L'image caricaturale de désœuvrement véhiculée par les clichés concernant le conjoint expatrié accentue ce sentiment de dévalorisation.

Bérénice évoque ses deux années d'expatriation : « Je me considère en vacances parce qu'il s'agit d'une période de temps qui a une fin. Cette pensée m'aide à garder le moral les jours où ce n'est pas trop ça. Je ne supporterais pas de me dire qu'à partir de maintenant, ne rien faire est ma nouvelle vie. J'ai du mal avec l'impossibilité de travailler. Je n'ai pas réussi à me recréer un vrai quotidien, fait d'habitudes, tout simplement parce que je peux faire ce que je veux de mes journées. Je n'ai aucune obligation, ça ressemble beaucoup à des vacances, non ? Par ailleurs, nous vadrouillons beaucoup le week-end, beaucoup plus qu'en France. Et puis le climat aide beaucoup à entretenir l'impression de vacances permanentes : il fait toujours beau ici. C'est clairement l'image que mes proches ont de mon séjour ici. Récemment, quand j'ai annoncé à un proche que nous partions quelques jours en vacances, sa réaction a été : "Mais vous êtes déjà en vacances !" »

Au-delà de l'aspect professionnel, le conjoint subit le plus souvent une rupture de nature sociale. Alors que le salarié expatrié retrouve assez vite un cadre de travail structurant, constitué d'un poste, de tâches, de responsabilités, de collègues et d'une hiérarchie, son partenaire peut se retrouver dans un environnement flou et déroutant. Tous ses repères sont à recréer, le quotidien est à organiser et le réseau social à reconstituer. Cette impression de vide de sens momentané peut, s'il s'installe dans la durée, peser fortement sur son moral. Un sentiment d'inutilité peut émerger, avec une terrible impression d'être à la fois incompétent et insignifiant au regard de la société. Les difficultés de compréhension de la langue ou de la culture accentuent le décalage qui existe avec une société à découvrir. Sans connaissances amicales, sans collègues, sans environnement relationnel établi, le conjoint se retrouve rapidement dans un isolement qui provoque un repli sur soi. Peu à peu, le nouveau domicile devient un espace de sécurité où il fait bon se réfugier. L'isolement social peut alors avoir des conséquences néfastes sur le mental avec une perte de l'estime de soi, une augmentation des angoisses et des symptômes mélancoliques.

Céline témoigne ainsi de la difficulté de trouver sa propre place en tant que conjoint : « Mon mari découvre son travail, mes enfants découvrent leurs écoles. Et moi ? Seule, dans ma cage dorée, à la recherche de quoi faire, comment le faire et est-ce bien cela que je veux faire, j'ai tout simplement déprimé. Déprimé ? Avec la chance que j'avais ? Peu de personnes pouvaient comprendre. »

Ces difficultés inhérentes à la position de conjoint ne sont pas toujours réellement prises en compte avant le départ. C'est ce manque d'anticipation et de préparation qui laisse souvent les conjoints dans une situation de profond désarroi une fois arrivés dans le pays. En s'expatriant, de nombreux renoncements, des sacrifices, des compromis, des réapprentissages et des accommodations sur bien des niveaux ont dû être réalisés. Ce sont ces pertes et ces deuils qui peuvent provoquer un vide difficile à combler, en dépit des éventuels bénéfices financiers, matériels, familiaux ou culturels obtenus.

Les risques de ne pas satisfaire tous ses besoins

Nous remarquons qu'en fait les besoins spécifiques du conjoint ne sont pas tous satisfaits. Si nous reprenons la pyramide des besoins de Maslow (cf. p. 97), nous remarquons que de nombreux conjoints stagnent à des niveaux de satisfaction basiques, correspondant aux acquis matériels. L'incapacité d'atteindre les niveaux supérieurs de réalisation personnelle apparaît souvent, provoquant frustration et insatisfaction.

Lors de l'installation à l'étranger, le conjoint devient le chef d'orchestre du foyer, dirigeant souvent les opérations lorsqu'il n'a pas d'activités professionnelles. Il représente le pivot familial vers lequel époux et enfants se tournent pour assurer la logistique et un certain équilibre pour toute la famille. Il est aussi souvent en charge de la sphère plus sociale et relationnelle. Les amitiés sont à créer, la langue est à maîtriser, des activités sont à retrouver. Investir le domaine social implique de fournir des efforts significatifs. Des personnalités dites « introverties » éprouveront alors des difficultés pour aller à la rencontre d'inconnus. Certains conjoints resteront exclusivement concentrés au niveau des paliers précédents d'ordre pratique et organisationnel.

Solange a vécu de nombreuses expatriations au cours de ces quinze dernières années. Elle explique son rôle de soutien familial indispensable pour l'équilibre de tous : « À chaque changement de pays, mon mari était pris dans son boulot et moi je m'occupais du reste, de trouver un logement, l'école, les activités de nos filles, et aussi de faire en sorte que notre maison soit accueillante pour recevoir. Je suis aussi celle qui rencontre du monde et établis les contacts. J'essaye également de rendre la maison la plus accueillante possible pour tous. C'est un peu un rôle de lien entre un dedans fait de stabilité et un dehors fait de sociabilité. Et puis aussi, quand on arrive dans un nouveau pays, il y a une période de transition avant que l'on commence à rencontrer de nouvelles personnes. Les premiers mois, on reste très soudés en famille sans encore faire de véritables échanges avec l'extérieur. On a alors tous besoin de se sentir bien à l'intérieur de notre maison, car on y est en peu "enfermés". Moi, ma tâche, c'est aussi de faire en sorte que lorsque mon mari rentre du travail ou les filles de l'école que la maison soit accueillante et que je sois disponible pour les écouter. C'est important pour moi. »

Pour ceux qui poursuivent le cheminement, ce sont les paliers du développement personnel et de la réalisation de soi qui peuvent être atteints. Ils concernent des conjoints créatifs dans leur approche de la nouveauté. Le vide et l'absence de ce qui a été laissé seront transformés en possibilités innovantes. Le challenge de se réinventer rencontre alors des ressources plus importantes et une identité qui s'affirme avec plus d'assurance. Ce sont les conjoints qui trouvent des opportunités dans l'expatriation, bravant les peurs et les obstacles au profit d'un sentiment d'accomplissement personnel.

Quand l'expatriée est une femme, le conjoint un homme...

Les hommes qui décident de suivre leur épouse en expatriation se confrontent à des difficultés similaires à celles rencontrées par les femmes accompagnatrices, avec néanmoins le poids supplémentaire d'un regard extérieur encore plus accusateur. Pourtant, depuis ces dernières années, on constate une féminisation de l'expatriation même si elle reste encore minoritaire. De plus en plus de couples partent à l'étranger à l'initiative de l'épouse et de son travail, tandis que le mari est l'accompagnant qui ne travaille pas nécessairement.

L'étude menée par Expat Communication a dressé un panorama de l'expatriation au féminin[1]. Elle met en avant la particularité de « pionnière » de ces femmes expatriées en partance pour l'étranger. Le plus souvent jeunes et célibataires, elles aspirent à s'enrichir professionnellement, mais aussi personnellement en exerçant leur travail dans un nouvel environnement où les défis à relever sont nombreux. L'étude les décrit d'ailleurs comme dotées des qualités d'opiniâtreté, de forte motivation, de curiosité et d'audace. Elles savent faire preuve de persévérance et d'adaptabilité, ce qui garantit au final le succès de leur projet, malgré les difficultés rencontrées et parfois au détriment de l'épanouissement d'une vie familiale.

Les maris qui accompagnent sont désignés en anglais par le terme de « *male trailing spouse* » ce qui signifie « maris suiveurs ». Comme dans le cas des conjoints femmes, cette dénomination porte une connotation assez dévalorisante. Cette dépréciation transparaît souvent également dans la façon dont la société les considère, ou bien dans la manière dont eux-mêmes se perçoivent. Suivre sa femme en expatriation, c'est adopter une position encore peu conventionnelle. Même si les rôles traditionnels tendent à évoluer et à être moins

1. www.femmexpat.com/wp-content/uploads/2013/01/Etude_panorama_expat_feminin.pdf

stéréotypés qu'autrefois, se mettre en retrait socialement et professionnellement au profit de la carrière internationale de son épouse reste une attitude qui sort d'une certaine norme. Dans les faits, c'est quasiment une inversion des rôles traditionnels au sein du couple qui s'opère. Le conjoint homme s'occupe alors de l'éducation des enfants ou des tâches ménagères. Non seulement il met sa carrière en attente au profit de celle de son épouse, mais il en devient financièrement et administrativement dépendant, ce qui peut être vécu psychologiquement avec difficulté. En effet, la reconnaissance sociale masculine est encore bien souvent associée à la profession et à la sécurité financière et matérielle apportée au foyer. Sans ce statut, c'est alors un homme sans identité sociale tangible. Les associations d'aide et d'accueil pour conjoints d'expatriés touchent encore bien souvent la population féminine, et le mari conjoint s'y sent exclu ou comme un intrus.

Il peut parfois représenter un danger, objet de convoitise et de séduction dans un environnement féminin. Dans les lieux où il circule, comme l'école, les parcs, les sorties de parents d'élève, ou les associations d'expatriés, la population est surtout féminine. C'est l'image du « loup dans la bergerie » qui m'a été souvent rapportée pour désigner cette présence masculine au cœur d'un univers constitué principalement de mères et d'épouses. Le conjoint homme peut alors devenir un enjeu de séduction pour les femmes esseulées et un danger pour les couples fragiles qui le fréquentent. La représentation non conventionnelle du conjoint homme peut aussi faire apparaître des ressentis plutôt hostiles et de nombreux préjugés chez les autres : un conjoint accompagnateur homme peut apparaître comme suspicieux. L'incompréhension devant une démarche semblable à celle d'un sacrifié peut donner une impression de bizarrerie voire d'anormalité. Pour les homologues hommes qui travaillent, un conjoint masculin qui reste au foyer peut être fortement déprécié, avec un regard condescendant ou chargé de reproches. Il peut alors avoir des difficultés pour intégrer des groupes masculins ou retrouver d'autres rares hommes au foyer. Une incompréhension devant ce qui apparaît un inversement des rôles conventionnels les isole encore plus. Professionnellement, le conjoint d'expatrié peut aussi rencontrer certaines difficultés. Les ruptures et les interruptions dans son parcours dues aux expatriations diluent peu à peu la notion d'expertise professionnelle et donnent une impression de manque de persévérance et de fiabilité chez les éventuels employeurs. Des pensées traduisant des idées d'oisiveté, de lâcheté ou même d'incompétence apparaissent parfois. Heureusement, l'expérience de l'expatriation peut également se dérouler de façon très bénéfique pour les conjoints masculins.

Bertrand Fouquoire, lui-même conjoint d'expatriée ayant créé une société de conseil à Singapour, témoigne : « Néo-aventuriers se riant des stéréotypes, les hommes conjoints d'expatriés ne sont-ils pas aux avant-postes d'une société qui change, sachant donner pour recevoir et prendre des risques pour avancer ? »

Ceux qui le désirent retrouvent un poste à l'étranger assez rapidement, car ils sont particulièrement motivés pour le faire. D'autres s'impliquent de façon active dans des domaines artistiques, techniques ou s'investissent au sein de groupes associatifs. C'est le plus souvent à travers la mise en place d'un réseau social important qu'ils trouvent la solution pour lutter contre les risques de l'isolement et qu'ils développent des opportunités professionnelles. En décidant de suivre leur épouse à l'étranger, ils montrent des capacités de prise de risque, d'improvisation, d'ouverture aux imprévus, de souplesse et de flexibilité. Ces atouts, combinés à une attitude masculine souvent portée à l'action, deviennent alors des avantages indéniables pour surmonter les difficultés et tirer profit d'opportunités offertes par l'expatriation.

Pour le conjoint, qu'il soit homme ou femme, il s'agit de réussir à créer, à investir et à se reconnaître dans un nouveau rôle et dans une nouvelle société. Trouver sa place signifie être à l'écoute de ses envies et de ses besoins, pour mettre en route un véritable projet de réalisation personnelle. Être conjoint d'expatrié, homme ou femme, est un challenge individuel complexe, mais qui permet de se dépasser et de vivre une expérience unique et épanouissante.

On fait le point...

1. Comment l'expatriation a-t-elle impacté votre couple ?
2. Quelle a été la place de votre conjoint dans cette expatriation ?
3. Quelles ont été les difficultés les plus spécifiques que votre conjoint a dû surmonter ?
4. Quelles ont été les solutions adoptées afin de relever ces épreuves ?
5. Votre conjoint s'est-il investi dans un projet personnel en dehors du cadre familial ?

Chapitre 3

Pénétrer le monde des enfants en expatriation

« Les enfants élevés à l'étranger ont un parcours hors du commun : une enfance jalonnée de changements, d'adaptations, de découvertes et d'expériences atypiques. Ils se forgent une culture qui n'est ni vraiment celle de leurs parents ni vraiment celle des pays dans lesquels ils vivent : ils deviennent des enfants de la troisième culture. Ils sont émotionnellement, psychologiquement et affectivement différents des personnes ayant vécu leur enfance dans un seul pays. »

Cécile Gylbert[1]

La façon dont l'enfant vit l'expérience de l'expatriation dépend de nombreux facteurs, notamment de l'âge des enfants, de la façon dont le projet a été présenté et assimilé par l'enfant, du contexte familial, mais aussi de comment les parents vivent eux-mêmes ce projet. En effet, si les parents vivent avec une forte anxiété cette nouvelle vie à l'étranger, l'enfant le ressentira et il pourra s'inquiéter à son tour. Aussi, si l'un des parents est opposé ou résigné quant au projet de migration, l'enfant percevra l'ambivalence existante, ce qui risque de freiner sa propre adaptation.

1. Cécile Gylbert, *Les Enfants expatriés : enfants de la troisième culture*, Les Éditions du Net, 2014.

Des enfants nomades

Plusieurs termes sont utilisés pour décrire les enfants qui vivent à l'étranger avec leur famille et qui doivent relever des défis spécifiques à leur vie d'expatriés. On parle souvent d'enfants nomades, multiculturels, transculturels ou même de citoyens du monde.

Devenir un enfant de la troisième culture

Ce terme, mis en avant par David Pollock et Ruth Van Reken[1], désigne les enfants ayant vécu une période non négligeable de leur enfance dans un autre pays que celui dont ils sont originaires. Ils y sont parfois même nés. En mixant les différentes influences culturelles reçues, ils deviennent des sortes de « mutants culturels » qui se reconnaissent entre eux, quels que soient leur parcours et leurs expériences internationales.

Juliette évoque son enfance d'expatriation qui influence son mode relationnel : « Je suis née à Séoul (Corée du Sud). Ensuite, nous avons vécu quatre ans à Libreville (Gabon), un peu plus de trois ans à Canberra (Australie), trois ans à Kuala Lumpur (Malaisie) et trois ans à Tokyo (Japon). Je suis ensuite rentrée à Paris où j'ai passé ma première et ma terminale, plutôt isolée, dans un lycée spécialisé dans les langues rares où j'ai pu continuer le japonais. La majorité des élèves se connaissent depuis le primaire et les nouveaux se retrouvent souvent entre nouveaux, ce qui fut mon cas. En France, on redevient quelqu'un de *lambda*, incognito, on entre

1. David C. Pollock et Ruth E. Van Reken, *Third Culture Kids*, Nicholas Brealey America, 1999.

dans le moule, la vie est bien moins trépidante qu'à l'étranger. On n'ose pas trop parler de sa vie d'expat de peur de passer pour quelqu'un qui frime (...) j'ai beaucoup de mal à me lier d'amitié ou plus avec des personnes qui sont casanières et qui n'ont pas l'esprit ouvert sur le monde. »

L'identité des enfants de la troisième culture se modèle à travers leur expérience de vie, en puisant sur leur héritage culturel, leur vécu émotionnel et l'éducation reçue dans les différents pays où ils se sont installés. Il en découle un sentiment d'appartenance culturelle qui leur est propre, incorporant des connaissances vastes et diversifiées, mais pas toujours très approfondies ou spécialisées. C'est d'un métissage culturel que leur rapport au monde se fait.

Ils partagent tous certaines particularités qui les rendent différents de ceux n'ayant pas vécu à l'étranger : un sentiment de différence par rapport aux autres, différents des proches restés au pays, différents de ceux-là où ils habitent, différents de leurs parents surtout s'ils n'ont pas eux-mêmes connu l'expatriation durant leur enfance. Il existe aussi l'idée que le monde est accessible, à leur portée et que les différents pays représentent d'éventuelles expériences de vie. On trouve aussi une difficulté à identifier clairement la question de leur origine et de leur appartenance culturelle, avec l'impression de vivre dans l'expectative d'un nouveau départ de façon transitoire. Ils doivent effectuer un travail constant d'intégration, possèdent une plus grande ouverture d'esprit et ont souvent une capacité à manier différentes langues.

Gérer le sentiment de différence

La notion de différence expérimentée par les enfants de la troisième culture correspond au sentiment d'être singulier, que ce soit en fonction des coutumes, du physique, de la langue, ou bien des références culturelles. Ils ne se reconnaissent pas comme un enfant local, ce qui peut se voir ou s'entendre de façon parfois flagrante. En même temps, ils ne se retrouvent pas non plus comme un enfant type similaire à ceux de leur pays d'origine. Leur vision globale du monde et de la vie a été teintée par l'expérience internationale. Un sentiment d'altérité émerge.

Selon Jacqueline, « la vie d'enfant d'expats m'a donné une ouverture d'esprit sur le monde incomparable, une capacité d'adaptation et de débrouillardise supérieure à la normale, mais elle m'a apporté comme revers le fait de ne pas partager exactement la même culture que les Français ayant vécu en France, le sentiment parfois de ne pas être à ma place, le fait de ne pas forcément avoir des amis d'enfance de longue date et surtout l'incapacité régulière de faire un choix et non pas plusieurs, en termes de parcours scolaire ou de carrière notamment ».

Selon David Pollock et Ruth Van Reken[1], l'enfant ayant vécu l'expatriation se retrouve dans l'un de ces quatre types de positionnement :

- le premier est celui dit de « **l'étranger** ». L'enfant ne ressemble pas aux autres et il pense différemment. Il est physiquement et mentalement distinct, la différence est incontestable ;

1. *Idem.*

- le deuxième est celui dit de « **l'immigrant caché** ». L'enfant ressemble à ceux qui l'entourent, mais il pense différemment. C'est souvent le cas des enfants qui rentrent dans leur pays d'origine alors que leur expérience de vie a changé leur façon de voir les choses. La différence est subtile ou masquée ;
- le troisième est celui dit de « **l'adopté** ». L'enfant ne ressemble pas aux autres, mais il pense pareil. Il a vécu tellement d'années au sein de la nouvelle culture qu'il a adopté ses principes et ses codes, et il se sent pleinement membre du groupe social. La différence est juste visuelle, mais non intrinsèque. C'est le cas, par exemple, de nombreux enfants d'immigrés, dits « de seconde génération », venant d'Asie ou d'Afrique et vivant en Europe ou aux États-Unis ;
- le quatrième, enfin, est celui dit de « **l'enfant miroir** ». L'enfant ressemble aux autres et il pense aussi comme eux. La famille est installée dans un pays relativement semblable à celui de leur origine et l'enfant s'y est pleinement intégré. Il n'y a pas de différences, ni superficielle ni profonde.

Personnellement, en France, je me déclarais sud-américaine. En Amérique du Sud, je me présentais comme française. Mon sentiment de congruence provenait de ce paradoxe. De nombreux enfants d'expatriés ne veulent pas expliciter leur tumultueux parcours. Sophie raconte : « Moi je dis que je suis française parce que mes parents sont français et que je suis née en France. Les gens n'ont pas besoin de savoir que j'ai vécu dans plein d'autres pays. Après, quand ils se rendent compte que je parle couramment quatre langues, certains cherchent à comprendre, alors j'en dis un peu plus sur les pays où j'ai vécu. Mais on me voit alors comme un extra-terrestre ! »

La notion de différence n'est pas vécue de la même manière par tous les enfants. La façon dont l'enfant appréhende l'altérité est le fruit de son éducation, de ses expériences, mais aussi de sa personnalité, de la solidité de la construction de son self ainsi que de sa confiance en soi et dans les autres. Beaucoup d'enfants amenés à changer régulièrement de pays dans leur enfance vont vivre plusieurs facettes d'ajustement. Ils peuvent adopter différents positionnements. Dans certains pays, ils peuvent se sentir « étrangers », ou bien comme un « immigrant caché », un « enfant adopté », ou un « enfant miroir ». Leur tentative d'assimilation peut être parfois artificielle lorsqu'ils masquent leur différence interne par un effort important, mais factice de conformité extérieure. Ou bien, elle peut être revendicatrice lorsque la différence est assumée ou constitue un geste de rébellion.

Quand les enfants sont issus d'un couple mixte, c'est-à-dire ayant des origines culturelles différentes, ils intègrent diverses règles et coutumes combinées dans la relation parentale. Des conflits d'appartenance peuvent apparaître, notamment avec les grands-parents qui peuvent craindre de voir une culture prendre le dessus sur l'autre. L'enfant peut alors être l'enjeu de négociations familiales, notamment en ce qui concerne le choix du prénom, de la confession religieuse ou du type d'éducation.

Partir ou rester ? D'ici ou de là-bas ?

Une autre particularité des enfants nomades est le fait qu'ils vivent dans une constante expectative quant à un nouveau départ. Les familles n'immigrent pas toujours définitivement dans un nouveau pays. Il faut parfois compter sur une promesse de retour vers le pays d'origine ou un départ pour un nouvel ailleurs, avec une incertitude quant à la durée du séjour présent. L'idée de devoir tout quitter à nouveau est souvent omniprésente et entretenue dans les questionnements des proches, dans les discours des adultes, mais aussi dans les constants départs de copains. **L'attachement au pays d'adoption s'inscrit alors dans l'éphémère, véhiculant une impression d'incertitude et d'inconstance**. En outre, une des difficultés majeures pour l'enfant nomade provient de la promptitude de ces changements. Alors qu'il est en train d'effectuer un travail naturel d'appropriation des normes sociales dans son environnement actuel, un déménagement vers un autre espace de vie va chambouler parfois brusquement son monde. L'enfant a besoin d'anticiper l'idée d'un déménagement pour mieux s'y préparer mentalement.

J'ai vécu toute mon enfance avec l'idée que nous allions repartir, que nous n'étions en France que pour une durée limitée. Mes parents l'exprimaient souvent. M'attacher à la France ne me semblait donc pas une nécessité puisque je n'étais que de passage. Plusieurs amis de mes parents, mais aussi des cousins, étaient d'ailleurs repartis vivre en Amérique latine lorsque leur contrat professionnel ou la situation politique le leur avait permis. Je voyais mon entourage sud-américain repartir, en me demandant quand notre tour viendrait. À ce jour, plus de quarante années après s'être installés de façon temporaire en France, mes parents vivent toujours à Paris sans être jamais repartis vivre dans leur pays d'origine.

En ce qui concerne l'héritage culturel familial, les enfants assimilent à la fois la culture parentale et la culture environnementale afin d'assurer leur formation identitaire et leur adaptation sociale. Cette transmission culturelle se fait le plus souvent de façon spontanée et automatique. L'héritage culturel transmis aux enfants va au-delà des comportements visibles, comme les traditions familiales, vestimentaires ou alimentaires. Il touche un niveau plus profond, plus impalpable, comme des valeurs ou des croyances partagées. Dès lors, les enfants nomades se retrouvent à devoir jongler entre les différents apports culturels qu'ils reçoivent. Plusieurs sources d'informations culturelles divergentes sont à unifier puis à intégrer. C'est ce que l'on appelle trouver un « équilibre culturel » avec un compromis harmonieux. Il ne s'agit alors pas de choisir une culture plutôt qu'une autre, ce qui peut provoquer dissociation et dichotomie identitaire. Accepter le nouveau pays et y trouver des avantages et des plaisirs peut sembler s'apparenter à devoir renoncer ou trahir son pays d'origine. À l'opposé, assimiler la nouvelle culture du pays d'accueil exclusivement au détriment de celle de ses parents peut provenir d'une honte de ses racines et d'une réaction d'opposition et de rejet de sa culture familiale.

Si l'enfant sent qu'il doit choisir entre différents pays, il ne peut pas combiner harmonieusement toutes ses expériences pour en faire une richesse unique. Il s'installe alors dans une position de déni et de rejet qui peut être source de souffrance. À l'inverse, réussir à composer avec des cultures plurielles est source d'enrichissement personnel. La construction identitaire se réalise de façon plus épanouissante. Assimiler le meilleur des cultures permet un développement de soi plus équilibré. En même temps, réussir à intégrer ces différences culturelles n'est pas chose aisée. Il peut y avoir opposition entre les valeurs de l'école et celles transmises par les parents. Par exemple, pour des familles où la compétition est mise en exergue, la coopération prônée comme priorité dans certains établissements peut dérouter certains enfants. Les enfants doivent alors développer une plus grande souplesse d'adaptation, et même un certain recul sur leurs certitudes. Même chose pour les parents, notamment lorsqu'ils investissent énormément de temps et d'efforts dans la transmission culturelle.

Robert explique : « Dans mon cas, mes racines lorraines m'importent beaucoup et j'expose les enfants à cela sous toutes les formes. Par exemple, par l'explication de l'origine de mobilier Jean Prouvé dans une vitrine luxueuse de San Francisco, en suivant les résultats des clubs sportifs nancéiens, par l'affichage de gravures de Jacques Callot, etc. La partie linguistique de notre transmission culturelle repose sur nos propres efforts : je parle en français aux enfants et à mon épouse, elle me parle en français et leur parle en polonais.

La notion d'appartenance culturelle de l'enfant nomade est très difficile à expliciter. Les questions « combien de temps reste-t-on ? », « tu viens d'où ? » ou bien « de quel pays es-tu ? » peuvent le laisser bien perplexe. Un halo de confusion entoure ce qui correspond au lieu de résidence, au pays d'origine ou aux endroits où il possède le plus de souvenirs. Se positionner aussi bien dans le temps et dans l'espace n'est pas évident pour lui et peut nécessiter un soutien et une compréhension souple des parents.

L'impact de l'expatriation selon le développement des enfants

L'âge influence fortement la manière dont la mobilité est perçue. Les plus jeunes sont rassurés par la stabilité d'une cellule familiale préservée. L'environnement extérieur, la maison ou l'école peuvent être différents, tant que les parents et la fratrie sont conservés, l'enfant se sent réconforté par sa source affective principale. Plus âgés, les enfants effectuent un travail de détachement des représentations parentales au profit d'une socialisation et d'une identification aux pairs. Perdre alors ce réseau social signifie se retrouver à nouveau dans un nid familial exclusif. Cela correspond pour certains à un risque de régression angoissant.

Les tout-petits ont besoin d'une famille qui les rassure

Les enfants de cet âge-là, de la naissance à 4 ans, ne se représentent pas vraiment ce que signifie partir vivre à l'étranger et quitter un pays. Pour eux, ce qui importe avant tout est de conserver les liens avec leurs principaux « objets d'amour » que sont les parents et les frères et sœurs. Ils sont rassurés par le cadre familial, et ils seront plus affectés par le manque de disponibilité de leur mère accaparée par les préparatifs du déplacement que par le changement du cadre environnemental. Les changements que ces tout-petits perçoivent néanmoins touchent aux besoins primaires. Les changements de logement, de climat et de nourriture peuvent avoir un impact direct sur eux. De même, le manque d'interactions et de stimulation avec des parents plus anxieux peut éveiller leur propre anxiété et affecter leur humeur.

D'un point de vue psychologique, lorsque l'expatriation se passe mal pour eux, on peut voir apparaître des troubles du sommeil, de l'alimentation ou du comportement, avec une hausse des conduites colériques, anxieuses ou de tristesse. Des régressions au niveau de l'acquisition de la propreté ou de l'acquisition du langage peuvent également exister.

L'âge critique serait autour des 7 ans

Les enfants d'âge scolaire, de 5 à 10 ans, se situent dans ce que Freud nomme la « période de latence », ce qui signifie qu'ils sont surtout mobilisés par le développement des liens sociaux, par la découverte de leur monde environnant et par l'acquisition de nouvelles connaissances. Ils seront touchés par la perte de leurs proches et par la transformation de leur cadre de vie. Changer d'école et de camarades de jeux, changer de langue et changer de règles sociales apparaît comme particulièrement anxiogène. De même, se retrouver dans un contexte qu'ils ne maîtrisent pas peut réveiller la peur de l'inconnu. Un besoin de compréhension du nouveau monde, un besoin de recevoir une attention particulière de la part des parents et le besoin de se sentir être une part active du projet peuvent rassurer l'enfant de cet âge. Cela peut également l'aider à se sentir valorisé. Mettre en avant les bénéfices qu'il retire de l'expatriation peut lui permettre d'investir davantage les aspects positifs qui, ainsi, contrebalanceront les inconvénients certains. Ces derniers ne sont ni à négliger ni à sous-estimer.

En ce qui concerne les signes psychologiques, les manifestations qui peuvent apparaître concernent les relations sociales (repli sur soi, peur d'aller vers l'autre), le comportement (morosité, manque d'énergie, mutisme, manque d'intérêt, colère, oppositions), l'investissement scolaire (rejet de l'école, chute des notes, difficultés d'intégration) et des troubles psychosomatiques (fatigue, douleurs, migraines, troubles du sommeil, anxiété).

Les adolescents doivent gérer des changements internes et externes

À l'adolescence a lieu la transformation pubertaire, ce qui signifie que le corps change et que le travail hormonal s'intensifie. Les conflits œdipiens et les conflits fantasmatiques archaïques qui ont été mis de côté durant la période de latence sont réactivés, avec un éveil de désirs sexuels. C'est une période de changements et de mutation particulièrement délicate où l'enfant est vulnérable. Françoise Dolto[1] disait que l'adolescent est comme le homard : il a perdu sa carapace d'enfant, mais il n'a pas encore celle de l'adulte... Un sentiment d'étrangeté face à sa nouvelle image du corps en pleine transformation peut apparaître, avec des interrogations sur les attributs adultes qu'il possédera, comme sa taille définitive, la forme de son corps, ou la tonalité de sa voix.

Dans sa construction identitaire, l'adolescent devra intégrer selon Erickson trois types de sentiments : le sentiment d'intégrité intérieure (« Je suis une personne unique et différente ») ; le sentiment d'interactivité (« J'existe dans des groupes qui me permettent de m'identifier à d'autres modèles que celui de mes parents ») ; et enfin le sentiment de continuité (« Je suis la même personne aujourd'hui par rapport à hier, même si mon corps et mes pensées continuent à changer. »)

Ce travail identitaire est complexe et passe par des phases de doutes et de questionnements, avec une confusion au niveau du temps (difficulté de se projeter dans l'avenir), une confusion sexuelle (des doutes sur l'orientation sexuelle), une confusion au niveau des rôles (doutes sur ce qu'il est vraiment, sur ce qu'il devrait être, et à qui il voudrait ressembler) et enfin une confusion au niveau du respect de l'autorité (phases d'opposition et de rébellion). Pour les adolescents migrants, tout ce travail de changements et de construction identitaire est complexifié par le départ à l'étranger. Le sentiment d'intégrité ne correspond plus uniquement au changement de soi par rapport à soi, mais aussi par rapport aux autres. Il peut se sentir stigmatisé. Se comparer aux autres pouvant être une stratégie rassurante et un aval de conformité dans son pays, à l'étranger cela peut au contraire renforcer sa différence. Le sentiment d'interactivité

1. Françoise Dolto, Catherine Dolto et Colette Percheminier, *Paroles pour adolescents ou le Complexe du homard*, Folio Junior, 2007.

devient également un enjeu confus. Alors même qu'il s'investissait dans son réseau social pour se détacher de ses parents, l'expatriation lui fait perdre à la fois sa place dans la communauté et renforce le rapprochement familial. Enfin, le sentiment de continuité est en inadéquation avec la rupture de l'environnement. La question devient alors : « Comment savoir qui je suis quand non seulement mon corps, mes pensées, mais aussi mon monde changent ? »

Psychologiquement, les signes de difficultés se situent sur un plan narcissique (perte de confiance en soi, doutes sur sa valeur personnelle, inhibition, retrait social), comportemental (attitude agressive, marginalisation, opposition, sautes d'humeur, émotivité), et avec les risques d'une souffrance importante, plus ou moins masquée, qui peut donner lieu à des passages à l'acte, des comportements à risque ou à des dépressions si un soutien n'est pas trouvé à temps.

Aider les enfants à s'expatrier

Le rôle des parents est de soutenir leurs enfants avec empathie en leur offrant un cadre de développement familial rassurant et souple.

- ✓ Mettre en avant les bénéfices qu'ils retirent de l'expatriation : lieux à découvrir, opportunité d'essayer certains loisirs ou certains sports, apprentissage d'une nouvelle langue, etc.
- ✓ Les impliquer dans le projet en leur permettant d'y avoir une part active : leur expliquer ce à quoi ils peuvent s'attendre, leur faire visiter l'école et éventuellement l'entreprise des parents, etc.
- ✓ Ne pas les rendre décisionnaire des choix mais être à l'écoute de leur vécu : leur demander ce qu'ils pensent, ce qu'ils ressentent et ce qu'ils voudraient.
- ✓ Recréer un espace familier où chacun retrouve des objets symboliques et émotionnellement investis comme des peluches, des livres ou certains meubles.

✓ Rassurer l'enfant en lui consacrant des temps privilégiés et en faisant preuve de patience jusqu'à ce que des nouvelles habitudes s'installent.

Si l'enfant se sent fortement perturbé par les changements et présente des signes de souffrance importants, solliciter une aide psychologique.

Les répercussions psychologiques et scolaires de l'expatriation

La capacité à gérer les pertes et les séparations est un enjeu propre à l'enfance. Grandir, c'est quitter un espace familier pour s'aventurer dans des zones ni connues ni familières. À travers la maîtrise des peurs et la résolution des angoisses d'abandon, l'enfant acquiert davantage d'autonomie et suffisamment d'assurance pour son évolution normale jusqu'à l'âge adulte. Or, partir s'installer à l'étranger peut réveiller ces angoisses primitives d'abandon et de séparation.

Les pertes vécues par l'enfant lors du départ à l'étranger sont nombreuses

Un enfant particulièrement sensible et vulnérable peut être profondément déstabilisé par la transformation de son cadre de vie. Les pertes que l'enfant endure en s'installant ailleurs sont de différents registres. En ce qui concerne **les lieux**, les séparations peuvent parfois être temporaires. Les retours lors des vacances peuvent permettre de partir à la recherche d'une odeur, d'une image ou d'un son de l'environnement gardé en mémoire. Plus les enfants seront âgés, plus ils auront emmagasiné des traces mnésiques de cet environnement. Les pertes de **proches** signifient quitter amis et famille. L'enfant doit reconstruire son réseau social, alors qu'il ne maîtrise pas toujours la langue et les codes sociaux pour savoir communiquer efficacement. Il peut ressentir une nostalgie pour le statut auquel il a dû renoncer. Il doit se refaire une place à l'école et dans la société. Enfin, partir signifie aussi trier **les objets** familiers. Les enfants se défont alors d'objets fortement investis comme des jouets, des peluches ou des livres. Les enfants peuvent vivre cette expérience de perte des possessions comme une petite castration, bien qu'il s'agisse d'un moment important dans la préparation à l'expatriation. Lors des multi-expatriations, ces pertes deviennent récurrentes, ce qui peut freiner la capacité d'attachement de certains enfants. L'impression que rien n'est jamais sûr, stable, définitif peut s'installer chez l'enfant confronté à des expatriations multiples.

Les signes à surveiller chez l'enfant (Adélaïde Russell et Gaëlle Goutain[1])

- Une nostalgie omniprésente : le passé n'arrive pas à être mis de côté pour investir le présent. Les regrets, la tristesse, une idéalisation de ce qui a été laissé accaparent l'enfant.
- Une anxiété paralysante : l'enfant est dans un profond état de mal-être qui se traduit par une insécurité constante et d'importantes peurs.
- Une dévalorisation personnelle : découragé par l'ampleur des efforts nécessaires pour s'adapter, l'enfant a l'impression que l'expatriation est une mission impossible. Sa confiance en lui est atteinte, il manque d'assurance et son estime personnelle diminue. Une dépréciation personnelle forte avec retrait social et ruminations négatives l'isole.
- Un manque d'intérêt et de curiosité : le nouvel environnement ne l'attire pas. Il ne souhaite s'investir ni socialement ni activement. Il persévère dans un comportement apathique où il attend que « ça se passe ».
- Une agressivité débordante : un comportement d'opposition qui s'exprime par le rejet, la colère ou même la violence. L'enfant est alors dans une conduite de rébellion. Il rejette à l'extérieur de lui sa souffrance ou à l'inverse se la reporte contre lui-même.

1. Adélaïde Russell et Gaëlle Goutain, *L'Enfant expatrié*, L'Harmattan, 2009.

Lorsque l'expatriation se réalise dans des pays où un danger réel est présent, et où l'enfant perçoit une terreur chez ses propres parents, le choc peut être traumatique. L'insécurité extérieure rencontre alors l'insécurité intérieure. Certains adolescents peuvent alors avoir la tentation de fuir une réalité externe insoutenable en s'échappant mentalement. Des prises de substances plus ou moins légales, drogues, médicaments, alcool, peuvent trahir une tentative d'exil virtuelle, avec un contrôle illusoire de leur condition par des voyages hallucinogènes. Il est primordial d'apporter un soutien au plus vite à l'enfant ou à l'adolescent qui présente un comportement à risque, ou qui fait part d'idées le mettant en danger. De manière générale, des désirs de fuite, d'automutilation, des passages à l'acte ou des tentatives de suicide sont des signes alarmants qui doivent exiger une prise en charge thérapeutique immédiate.

Simultanément aux pertes, l'expatriation offre également de nombreux bénéfices

L'un des premiers bénéfices d'une vie à l'étranger est l'enrichissement culturel de l'enfant. Connaître une autre société, une autre culture, une autre façon de vivre l'expose à une grande diversité d'expériences qui lui donnera une palette plus large de modèles et d'exemples auxquelles se référer une fois adulte. C'est aussi l'opportunité de développer une plus grande ouverture d'esprit, une meilleure connaissance du monde, une plus grande curiosité intellectuelle. Des qualités de tolérance peuvent se développer, ainsi qu'une plus grande aisance relationnelle. Le fait d'apprendre une ou plusieurs langues étrangères facilite la découverte d'autres pays et donne des atouts professionnels futurs indéniables, mais stimule également l'esprit.

Sur le plan psychique, c'est le développement d'une intelligence dynamique qui se produit. La résistance au stress, le fait de relever les défis et aussi de faire face aux difficultés sont des moyens d'augmenter la résilience de ces adultes en devenir. De plus, se confronter à une nouveauté déstabilisante signifie pouvoir remettre en cause certaines certitudes et certaines croyances. Une souplesse de pensée et une adaptabilité comportementale sont ainsi stimulées. En outre, se savoir différent des autres, à un moment où l'enfant recherche paradoxalement à se conformer à ceux de son âge, peut favoriser un sens d'individuation, c'est-à-dire de se savoir unique. La réalité se représente alors comme multiple, subjective et non égocentrée.

L'enfant nomade a un important besoin de trouver la compréhension et le réconfort de sa famille pour l'aider à renforcer son noyau identitaire. Si celui-ci se met en place harmonieusement, l'enfant peut alors développer par lui-même les rouages de son identité nomade : une communication efficace, une meilleure adaptabilité, une plus grande empathie et une importante capacité de résilience. Ces aptitudes développées dès son enfance seront à l'âge adulte des points forts sur lesquels il pourra s'appuyer s'il souhaite poursuivre ses expériences internationales.

Accompagner ses enfants à réussir leur expatriation

Pour aider l'enfant, il est nécessaire de prendre en compte ce qui peut s'apparenter à des objets de transition symbolique qui l'aideront à vivre les changements. Investir sa nouvelle chambre en l'autorisant à la décorer comme il l'entend peut lui permettre de créer sa place dans le nouveau pays. Garder des contacts avec ses amis restés au pays grâce à des appels téléphoniques, des courriers ou l'utilisation des nouvelles technologies peut être un palliatif utile tant que cela ne devient pas exclusif et ne le freine pas dans l'utilisation des réseaux sociaux sur place. Parallèlement au besoin d'accepter de nombreuses pertes, l'enfant doit en effet placer aussi son énergie dans la reconstruction. Il doit se recréer des habitudes ainsi qu'une place dans l'ici et maintenant afin de réussir à aller de l'avant. Si, à l'inverse, l'enfant reste figé dans le passé, il peut éprouver plus de difficultés pour s'adapter.

Comprendre les enjeux d'une scolarité à l'étranger

L'école occupe une place essentielle dans la vie des enfants. Ils y consacrent une grande partie de leur journée et de leur énergie. Un pacte plus ou moins tacite s'établit entre l'école et les parents. Le professeur devient un substitut parental temporaire qui partage son savoir. Il influence, dans une supposée neutralité, les réflexions des enfants. L'enfant s'y développe à travers la relation aux autres (les copains), la relation à l'autorité (les professeurs), et la relation à soi (les évaluations et les notes).

Dans un contexte d'installation dans un pays étranger, les modalités sont encore plus complexes. Il est nécessaire de comprendre le système éducatif, en termes de méthodologie, de notation, d'attentes scolaires ou de discipline. Pour l'enfant, il faut aussi gérer une nouvelle langue, un environnement social inconnu, des codes de conduite interpersonnelle particuliers et une pédagogie spécifique. Pour aider l'enfant à bien s'intégrer dans sa nouvelle école, dans un nouveau pays, le parent doit le réconforter et comprendre ses craintes légitimes. L'adaptation peut prendre un certain temps, mais peu à peu l'enfant intégrera les particularités de ce nouvel environnement.

Jacqueline raconte : « Au Gabon, la plupart des expatriés vivaient dans un environnement sécurisé car nous étions en plein coup d'État. J'allais à l'école maternelle locale et il n'y avait pas de distinction dans le traitement des enfants expatriés et locaux. En Australie, il y a vite eu la barrière de la langue du coup comme les autres enfants qui ne parlaient pas anglais, j'avais des cours [...] Ensuite, mon père a été muté en Martinique. J'allais à l'école publique. J'ai remarqué très vite ma différence par rapport aux autres enfants ; pourtant, tous français comme moi en termes d'ouverture sur le monde. Je ne m'y suis pas fait beaucoup d'amis, car la plupart des gens qui vivent en Martinique se connaissent depuis très longtemps, c'est difficile de s'intégrer. Lorsque mon père m'a annoncé notre départ pour la Malaisie j'étais contente, je voyais ça comme une nouvelle aventure. Là-bas, j'étais consciente d'être expatriée, je savais parler anglais, mais pas malais, je n'avais que des amis expatriés. La Malaisie fut une très bonne expérience, mais on n'y était pas aussi bien intégrés qu'à Canberra et on restait surtout entre expatriés. De là nous sommes partis au Japon. Mes amis y étaient aussi majoritairement des expatriés. J'allais au lycée français. J'ai pris des cours de japonais pour mieux m'intégrer et pour pouvoir me débrouiller dans la vie de tous les jours. »

Le moment de la rentrée scolaire dans un nouveau pays est particulièrement complexe. Encore peu adaptés aux spécificités locales, en manque de repères, en pleine découverte, les familles et surtout les enfants affrontent ce stress supplémentaire. Ils entament une nouvelle année, dans une nouvelle classe, avec de nouveaux copains, de nouveaux professeurs et de nouveaux challenges. Ce flot de changements peut être vecteur d'insécurité, de méfiance et d'inquiétude. Un transfert de stress des adultes sur leurs enfants peut accentuer l'angoisse générale alors que l'enfant demande à l'inverse à être rassuré. Certains parents s'inquiètent de la qualité pédagogique qui existe dans le pays d'accueil. Ils la comparent très souvent au seul système qu'ils connaissent vraiment, à savoir celui du pays dont ils sont originaires. Pourtant, d'autres types d'apprentissages inédits interviennent et rendent la comparaison difficile ; comme la découverte d'une nouvelle langue, l'adaptation à une autre culture, ou bien l'ouverture d'esprit aux différences. Pour certains enfants, le choc culturel d'une école locale peut être trop important et ils peuvent être davantage rassurés dans un cadre privé, comme une école issue du pays dont ils sont originaires ou bien dans un établissement scolaire utilisant une méthode d'enseignement tournée vers l'individualisation des besoins des enfants, comme les écoles Montessori.

Le choix du système scolaire par les parents n'est pas anodin. Qu'elle soit publique, privée, locale ou internationale, décider de l'école de ses enfants correspond à une stratégie éducative qui s'appuie sur des désirs, des projections, des envies, des besoins ou même des craintes. Elle est mise en place en fonction d'intérêts personnels, de leur connaissance de la personnalité et des facultés de leur enfant, de la compréhension du système scolaire des parents, de la réalité socio-économique du pays et enfin de la capacité financière des parents ou de la prise en charge de l'école par les entreprises. Pour les couples originaires de pays différents n'utilisant pas le français à la maison, pour les enfants nés dans le pays d'accueil ou bien ayant quitté le pays d'origine depuis longtemps, l'école française à l'international permet un renfort linguistique et culturel. En outre, une famille qui multiplie les expatriations peut vouloir maintenir une régularité dans le système éducatif en choisissant un modèle scolaire identique quelles que soient les expatriations, comme des établissements scolaires privés français ou américains. Il est à noter que certains parents optent pour des cours par correspondance, notamment lorsqu'ils sont amenés à fréquemment changer de pays pour des raisons professionnelles. Les enfants profitent alors d'une attention individualisée, avec une scolarité mobile et une plus grande responsabilité dans leurs études. En revanche, l'aspect social et relationnel peut faire défaut. À l'opposé, lorsque l'enseignement se fait en pensionnat pour éviter des déplacements fréquents à l'enfant, c'est le réconfort affectif parental qui peut manquer.

Julie explique : « La langue de mon mari est l'anglais. Aussi, en vivant aux USA, nous parlons anglais à la maison. Il était très important pour mon mari et pour moi-même que nos enfants parlent néanmoins nos deux langues de manière naturelle, car nous avons tous deux eu des parcours très internationaux et nous reconnaissons la valeur de la communication dans plusieurs langues. Le choix de l'établissement s'est fait pour le programme réellement bilingue, ainsi que la taille de l'école qui est petite donc plus familiale et au final plus typiquement française, mais aussi pour des raisons financières, car elle est plus abordable que les autres. Ensuite, le passage à l'école publique à partir du collège a été motivé par plusieurs raisons. Financières bien sûr, mais aussi car notre projet de vie est aux USA, donc nous ne voulions pas compromettre la possibilité d'admission et de réussite de nos enfants dans des grandes écoles américaines sous prétexte de les garder dans le système français. Cela ouvre aussi des portes pour les écoles supérieures françaises puisque les enfants auront la possibilité de postuler en tant que candidats étrangers, ce qu'ils ne pourraient pas faire s'ils avaient le bac français. »

Le choix du système éducatif par les parents provient de stratégies personnelles, familiales et culturelles. L'école devient vite tributaire des espoirs que les parents y mettent pour leur enfant, mais il dépend également des possibilités réelles existantes, tant financières que matérielles. Quel que soit le type d'enseignement choisi, l'enfant devra s'adapter à un environnement, à une langue, à des valeurs et à des méthodes de travail déterminantes pour l'adulte en devenir qu'il est.

On fait le point...

1. Comment vos enfants ont-ils vécu l'expatriation ?
2. Quelle a été leur réaction à l'arrivée ? Avez-vous noté une évolution ?
3. De quelle origine se considèrent-ils ?
4. Quels ont été les bénéfices de l'expatriation dans leur développement ?
5. Quelles ont été leurs plus grandes difficultés ?
6. Comment avez-vous décidé de leur scolarité ? Êtes-vous satisfait de cette décision ?

Troisième partie

Relever les challenges professionnels et relationnels

Dans cette partie, nous allons nous consacrer aux relations socioprofessionnelles qui existent dans le cadre de l'expatriation. L'homme étant un animal social, il est sans arrêt en interaction avec son environnement. Ses besoins d'appartenance influent sur son adaptabilité et sur sa capacité d'investissement du monde. Ce qui se passe psychiquement en lui est ainsi en étroite corrélation avec sa manière d'entretenir des relations avec ses différents réseaux sociaux.

L'expatrié part le plus souvent pour poursuivre des études, pour accomplir un travail, pour mener une carrière internationale ou bien pour une ambition personnelle. L'aspect professionnel est souvent le moteur économique et logistique de ce projet de mobilité internationale. Dans une époque marquée par la mondialisation, où aller à la rencontre d'autres cultures, s'installer ailleurs, s'implanter, se délocaliser et exercer des activités nomades sont des phénomènes en plein essor, ceux qui partent vivre ailleurs sont nombreux. Même sans s'expatrier, l'ouverture au monde est omniprésente. Nous sommes dorénavant connectés les uns aux autres, quel que soit le lieu d'habitation. La modernité ajoute en prime Internet et les réseaux sociaux virtuels comme nouveaux outils relationnels qui sont en prise directe avec la vie des expatriés. L'expatriation contemporaine est de ce fait en pleine mutation.

Chapitre 1

Inscrire le monde professionnel dans la mobilité internationale

« Il vaut mieux travailler à l'étranger que mourir chez soi. »

Proverbe yiddish

L'élément déclencheur qui pousse un individu à se lancer dans une expatriation est généralement un projet professionnel. Plusieurs explications peuvent être avancées, comme une opportunité ou un impératif venant de l'entreprise, une recherche d'emploi, une conjoncture socio-économique, une stratégie carriériste ou bien le désir de découvrir un autre environnement professionnel. C'est ainsi bien souvent autour du thème du travail que se situe l'enjeu du projet d'expatriation, et ce malgré la présence possible d'autres facteurs de motivation, comme une envie de renouveau dans le quotidien, ou bien une forte curiosité pour aller à la rencontre d'une autre culture.

Les travailleurs de l'international ne sont toutefois pas tous des employés de multinationales. Les contrats d'expatriation sont en baisse. La moitié des Français de l'étranger est sous un contrat local. Les créateurs d'entreprise représentent dorénavant quasiment deux Français sur dix parmi ceux partis vivre à l'international. Un nombre croissant de professionnels ne restent pas salariés de l'entreprise qui les a envoyés à l'étranger, mais deviennent employés d'entreprises locales. De même, nombreux sont ceux qui partent à l'étranger directement par leurs propres moyens sans affectation préalable.

Ce que l'expatriation représente pour les entreprises

Les entreprises doivent dorénavant s'imposer de plus en plus sur le plan international, avec une forte compétitivité des marchés émergents. Elles doivent gérer avec efficacité la mobilité internationale de leurs salariés, que ce soit d'un point de vue financier, humain, technique, ou managérial.

Le besoin de personnel qualifié à l'international et d'une baisse des coûts d'expatriation

Pour les entreprises, **la présence d'un personnel qualifié à l'étranger** permet d'établir une liaison entre la maison-mère et les filiales étrangères, favorisant les mouvements internationaux des salariés. L'objectif est d'entretenir les relations entre les différentes entités internationales de la société. Ou bien, des filiales se créent et les cadres transférés se chargent des négociations et de la mise en route de ces nouvelles entités. Parfois aussi, certaines filiales ferment et les employés sont redéployés vers d'autres structures. Enfin, certaines entreprises étrangères recrutent des compétences étrangères pour élargir leurs savoirs et leurs savoir-faire. C'est en gérant avec efficacité ce mouvement humain international que les entreprises peuvent s'imposer dans un contexte de mondialisation.

Dans un **souci d'économie**, les entreprises prennent de moins en moins en charge les frais de leurs employés. L'expatriation telle qu'elle existait il y a une vingtaine d'années tend à disparaître. Les salariés expatriés sont moins nombreux à jouir d'un contrat français, au profit de contrats locaux, moins chers pour l'entreprise. Selon les chiffres de l'enquête Mondissimo[1], on peut constater une forte baisse de la prise en charge des frais de logement sur place par l'entreprise. Ils étaient un expatrié sur deux en 2003 à bénéficier de cet avantage, contre un sur cinq en 2013. Même chose pour la prise en charge des frais de scolarité des enfants. Généralement, seuls les postes à très forte responsabilité maintiennent certains avantages. Certains groupes ayant de nombreux expatriés à travers le monde, comme les groupes pétroliers, continuent à financer par des primes les expatriations dans des zones dites à risque. Certaines entreprises se chargent aussi de la reconversion professionnelle des conjoints, car ils ont conscience de l'influence de la vie privée du salarié sur sa vie professionnelle. D'autres financent des « voyages découverte » pour le couple ou la famille avant l'expatriation pour permettre une sorte de repérage. Mais, de façon générale, de plus en plus d'expatriés doivent financer et organiser eux-mêmes leur déménagement et leur installation.

Julien m'explique : « Je n'ai pas été expatrié par un grand groupe du CAC40, personne ne s'est occupé de faire nos papiers d'immigration pour nous, personne n'a payé notre déménagement ou ne nous a accompagnés comme c'est le cas avec certains expatriés qui partent vivre à l'étranger en mode "service 5 étoiles". Nous avons vendu tous nos biens pour partir au Canada et vivre une nouvelle aventure. J'ai quitté mon emploi sans vraiment savoir de quoi l'avenir sera fait. Mais on ne se plaint pas, car ces challenges auront été très formateurs ! Dans mon cas, c'est comme un placement à long terme en bourse. On sait que c'est positif, on sait que c'est une expérience payante, mais on ne sait pas quand ni comment cela va se concrétiser. »

1. Source : www.mondissimo.com/pdf/Resultats_etude_def_2013.pdf

L'étude de Brookfield Global Relocation Service[1] indique que l'un des défis les plus importants pour les entreprises en termes d'expatriation est avant tout de réduire le budget des transferts internationaux. De plus en plus d'entreprises proposent ainsi des contrats locaux, moins onéreux pour leur finance, avec parfois des contrats où certains avantages s'ajoutent au salaire, comme une prime logement ou la prise en charge d'une assurance santé privée. La tendance est aussi aux missions courtes, autour de trois à six mois. On trouve de façon générale une baisse de la durée du temps de séjour en expatriation. Sur le plan de la rémunération, les choses sont également vues à la baisse. Les banques et les très grandes entreprises restent encore les plus généreuses. Des économies se font néanmoins en ajustant les salaires aux coûts de la vie du pays d'accueil.

Bénédicte n'a pour sa part ni retrouvé le même salaire ni le même système de reconnaissance de diplômes lorsqu'elle s'est installée au Canada depuis la Suisse : « Lors de ma première immigration au Québec, j'ai été confrontée à la réalité de la différence au niveau salaire, soit, dans mon cas, une baisse de moitié par rapport à mon salaire suisse. Évidemment, le coût de la vie est proportionnel bien que le pouvoir d'achat semble meilleur en Suisse. Au niveau des diplômes, il a également fallu demander des équivalences et, là encore, selon les diplômes, certains ne sont pas reconnus de la même façon que dans le pays d'origine. »

Une autre stratégie des entreprises en matière d'expatriation est de recourir au « commuting ». Il s'agit d'une expatriation « partielle » qui se développe dans les pays frontaliers du pays d'origine. Le

1. Source : www.brookfieldgrs.com/knowledge/grts_research/grts_media/2012_GRTS.pdf

salarié conserve son contrat de travail, mais il se rend régulièrement dans la filiale étrangère. Souvent, la famille ne l'accompagne pas, ce qui réduit les charges liées au déménagement et à l'installation. Des inconvénients surgissent néanmoins du fait d'une fatigue accrue due aux voyages incessants de l'employé, d'une vie privée qui peut pâtir des séparations familiales récurrentes et d'une difficulté d'intégration plus importante dans le nouveau pays et la filiale d'accueil.

Un management interculturel à mettre en place

Une fois que l'entreprise possède une ou plusieurs filiales à travers le monde, l'expatriation de son personnel qualifié lui permet une transmission de connaissances au personnel local, la surveillance de la mise en place et du respect de la culture d'entreprise et un contrôle des décisions provenant du pôle dirigeant. L'entreprise doit néanmoins apprendre à composer avec les différences culturelles propres aux régions où elle s'est installée.

Pour mieux définir les politiques de management interculturel, les entreprises peuvent s'appuyer sur le réseau professionnel des ressources humaines internationales qu'est le Cercle Magellan[1]. Il constitue en effet un centre d'information en matière de ressources humaines internationales et traite aussi bien de problématiques de mobilité, de rémunérations, d'avantages sociaux que de développement des talents. Les responsables de la mobilité internationale peuvent ainsi échanger sur les différentes politiques et pratiques d'expatriation ou de retour d'expatriation.

Le management interculturel concerne la relation qui s'opère entre l'entreprise, le migrant et l'environnement professionnel et culturel. Il s'agit ainsi pour l'entreprise de prendre en compte les réalités économiques (niveau de production), les réalités sociales (facteur humain),

1. http://www.magellan-network.com/

mais aussi une réalité plus symbolique (les valeurs, les normes et les habitudes du pays d'implantation). Une même entreprise représentée dans différents pays peut alors avoir des politiques managériales différentes, adaptées aux particularités du lieu d'implantation.

Selon Julien : « Il est important de comprendre qu'il n'existe pas un modèle unique en entreprise, mais autant de modèles que d'entreprises. Quand on parle d'intégration, de découverte de l'entreprise, de mise en pratique des acquis antérieurs ou d'appropriation des nouvelles règles, il faut s'abandonner pour mieux se reconstruire dans une nouvelle entreprise à l'étranger. Cela veut dire abandonner ses expériences passées et arriver avec un regard et un esprit le plus "neuf" possible pour ne pas que les anciennes habitudes françaises prennent le pas sur les habitudes canadiennes à intégrer. Je m'y étais préparé, car je m'étais beaucoup documenté et avais la chance de travailler dans un environnement multiculturel en France. Je connaissais le syndrome du Français arrogant diplômé des grandes écoles qui attend que l'on vienne le chercher pour un poste à sa hauteur, et je ne voulais surtout pas tomber dans ce cliché. Partir vivre et travailler à l'étranger, c'est avant tout un apprentissage de l'humilité. »

Selon certains, la zone géographique Asie-Pacifique serait la plus difficile en termes d'adaptation pour un expatrié français, car elle présente le plus de dissemblance avec la culture française. À l'opposé, c'est en Europe où l'adaptation serait la plus aisée.

Jean-Luc Cerdin[1] pointe que c'est l'écart qui existe entre la culture de départ et la culture de destination qui va influencer la capacité

1. Jean-Luc Cerdin, *L'Expatriation*, Éditions d'Organisation, 2002.

d'adaptation du migrant : « Plus la culture du pays de destination est nouvelle par rapport à celle du pays d'origine, plus l'adaptation générale et l'adaptation à l'interaction sont difficiles. » Ces différences entre le pays d'origine et le pays d'affectation concernent également la culture des organisations au sein des entreprises, par exemple la relation entre la maison mère et la filiale.

Les approches managériales interculturelles

Jean-Luc Cerdin[1] a développé les différentes approches managériales :

- l'approche ethnocentrique : le pôle décisionnaire se situe dans le pays d'origine. Les expatriés qui sont dans les filiales respectent une politique centralisée et possèdent une responsabilité plus importante que les employés locaux. L'expatriation est une opportunité d'évolution de carrière ;
- l'approche polycentrique : le siège n'est plus le centre d'autorité. Chaque filiale possède une autonomie de décision. L'expatriation n'est ni valorisée ni recherchée ;
- l'approche géocentrique : la stratégie d'entreprise est internationale, avec une grande collaboration du siège et de ses filiales. La compétence des salariés est privilégiée au-delà des nationalités ou du pays de résidence. Le salarié peut travailler indifféremment dans une filiale ou au sein de la maison mère, ce qui amène de nombreux déplacements ;
- l'approche régiocentrique : elle s'apparente à l'approche géocentrique, mais concentrée sur une zone géographique délimitée. Il existe un siège central et plusieurs sièges régionaux. La mobilité des employés s'effectue de façon régionale, mais les déplacements entre les différentes zones géographiques sont plus rares.

La gestion des carrières des cadres se fait en suivant la politique de la multinationale en matière de management, et aussi en fonction de

1. Jean-Luc Cerdin, *S'expatrier en toute connaissance de cause*, Eyrolles, 2007.

la considération qui existe pour la filiale. L'expatriation est ainsi soit valorisée par l'entreprise, soit au contraire perçue comme coûteuse et superflue.

La réussite de l'expatriation dépend à la fois des politiques d'expatriation menées par les entreprises, mais aussi des capacités individuelles de gestion des changements. C'est ainsi un double ajustement en parallèle qui se met en place.

Des dispositions à l'expatriation nécessaires chez l'expatrié

Partir s'installer à l'étranger est une épreuve compliquée pour le salarié. Certains sont néanmoins plus aptes à relever ces difficultés que d'autres. L'évaluation de la disposition envers la mobilité internationale par l'entreprise est une donnée importante afin de prédire la réussite de l'expérience. Cette disposition à la mobilité est à la fois subjective et objective en fonction de la personnalité de l'expatrié, mais elle est aussi absolue ou relative en fonction du lieu d'expatriation notamment.

Repérer les dispositions subjectives et objectives

La disposition subjective apparaît sur le plan de la personnalité, avec différents profils qui font surface. Certains se disent toujours partants, ce sont les mobiles dits « inconditionnels ». L'idée d'un départ à l'étranger éveille chez eux une excitation et un intérêt qui les dynamise. Le projet peut néanmoins paraître exacerbé par une représentation idéalisée de la vie à l'étranger, ou bien par un désir inconscient de fuite face à certaines insatisfactions personnelles ou professionnelles. À l'opposé, les « non-mobiles inconditionnels » rejettent en bloc l'idée même d'une mobilité internationale. Des peurs, des angoisses et des pensées négatives sont associées à la possibilité d'une installation en terre inconnue. Le besoin de maintenir une maîtrise de l'environnement, une proximité familiale, une régularité dans les habitudes et une familiarité dans le mode de vie sont déterminantes pour eux. Entre ces deux types opposés se trouvent les « mobiles conditionnels » qui peuvent envisager l'expatriation en fonction de certaines modalités ou certaines exigences précises.

La disposition objective tient compte de différents facteurs concrets qui permettent d'envisager l'expatriation : la situation familiale, la disposition de la famille à l'expatriation, l'âge et les conditions de vie du futur expatrié, la zone géographique de l'expatriation, l'intérêt pour le projet professionnel en expatriation, ou des problèmes personnels ou de santé.

Des facteurs de personnalité favorables au nomadisme

Plusieurs chercheurs ont essayé de déterminer les facteurs de personnalités propices à une réussite d'expatriation. Les traits de caractère indispensables à la réussite d'une mobilité internationale semblent être l'ouverture aux autres, la curiosité, la confiance en soi, la tolérance aux situations équivoques, la capacité à gérer le stress ainsi que de solides capacités relationnelles. À l'opposé, les traits de personnalités nocifs sont la susceptibilité, la timidité excessive, le manque d'assurance ou à l'inverse une confiance en soi excessive, un rejet d'autrui et de l'inconnu, une méfiance excessive, un manque de recul par rapport à soi et ses idées, le désir excessif de s'imposer ou d'être admiré, ou enfin une rigidité d'esprit.

Trois aspects individuels sont déterminants pour réussir à l'étranger :

- **un aspect psychologique**, avec la capacité de l'individu à conserver sa confiance en soi et son équilibre psychologique en toutes circonstances avec une résistance au stress efficace ;

- **un aspect interpersonnel**, avec les capacités à interagir socialement avec les autres, notamment les locaux, ce qui facilite l'intégration et la création d'un réseau amical. La maîtrise de la langue locale est alors déterminante pour faciliter l'accès à la communication ;
- **un aspect cognitif**, avec la possibilité d'observer, comprendre, analyser et saisir les particularités du nouvel environnement, sans jugement de valeur.

Julien considère que les principaux traits de caractère qui ont facilité son adaptation professionnelle sont :

- l'ouverture d'esprit : « C'est indispensable pour partir à l'étranger. Il faut comprendre que ce n'est pas parce que les gens font des choses différemment qu'ils les font mal » ;
- la curiosité : « Pour comprendre comment les choses fonctionnent. Il faut s'intéresser aux autres et ne pas attendre que l'on s'intéresse à soi sous le simple prétexte que l'on est un Français qui vient d'arriver » ;
- le sens du partage : « Pour profiter et faire profiter aux autres des expériences passées. C'est toujours rassurant pendant les premiers mois de se faire un petit réseau, notamment via Internet, de personnes qui ont vécu cette même expérience et qui peuvent en témoigner. Ça permet de mieux se préparer, surtout dans les premières semaines où les codes et les repères que l'on connaissait sont fragmentés et qu'il faut tout reconstruire » ;
- la capacité de se remettre en question : « C'est une règle de base ! Ne jamais rien prendre pour acquis et toujours être prêt à se dire : "Ce n'est finalement pas que la faute des autres, c'est peut-être de la mienne, ou c'est moi qui ai mal compris..." »

Le succès de l'expérience de vie à l'étranger dépend bien souvent de la compréhension par l'expatrié de son nouvel environnement professionnel et de son adaptabilité à un nouveau cadre de travail. L'individu se retrouve à devoir composer avec des relations sociales internationales, parfois en utilisant quasi exclusivement une langue étrangère. Il doit s'ajuster à d'autres méthodes, à d'autres savoir-faire, et à d'autres us et coutumes. Il doit développer une communication, une observation et une souplesse pour se conformer à ce nouveau lieu. Même s'il est toujours attaché à la même entreprise, il doit faire face à une multitude de changements. Certains avaient déjà eu un avant-goût de ce qui pouvait les attendre en ayant fait des missions sur place, mais le poste, les relations, l'environnement, les enjeux et les objectifs peuvent être différents en s'y installant dans la durée.

Dans la réalité du monde professionnel, deux indicateurs sont surtout utilisés pour sélectionner les expatriés : les compétences techniques et les expériences passées lors de postes similaires. Ce qui touche à la personnalité et aux facteurs socio-psychologiques n'est pas toujours suffisamment pris en considération. Pourtant, lorsqu'une personne est mal préparée ou ne présente ni les caractéristiques individuelles ni la volonté familiale de s'expatrier, il peut se montrer moins disponible et moins efficace professionnellement, ce qui peut se traduire par un échec de l'expatriation.

Évaluer votre disposition à l'expatriation

C'est en clarifiant les aspects subjectifs, objectifs et personnels qui sont en jeu que vous pourrez repérer les besoins nécessaires encore à combler pour que l'expatriation soit un véritable succès :

- ✓ Déterminez votre degré d'acceptation du projet d'expatriation en explicitant ce qui vous attire et ce qui vous repousse dans ce projet.

✓ Déterminez quels sont les facteurs objectifs favorables et défavorables au projet.

✓ Déterminez quels sont les traits de caractères favorables à l'expatriation que vous possédez.

Aussi un soutien ou un accompagnement par un professionnel pendant l'expatriation peut permettre à ceux qui sont moins préparés de développer les compétences et les aptitudes nécessaires.

La carrière internationale comme tremplin professionnel

À côté de la gestion de carrière mise en place par les entreprises pour répondre de façon objective à leurs besoins en matière de management ou de transfert de compétence, il existe une planification de carrière plus personnelle provenant d'une volonté individuelle.

Repérer les stratégies de carrière

Le professionnel peut avoir un objectif de carrière, il peut auto-évaluer son parcours, prendre en compte son épanouissement général et son développement personnel selon des critères subjectifs.

Selon Paul : « Pour beaucoup, une carrière internationale, c'est un rêve, car on a souvent tendance à penser que l'herbe est toujours plus verte ailleurs ! Ce qui n'est pas forcément le cas ! Le fait de se lancer dans une carrière internationale, outre le fait de prendre conscience des avantages dont nous disposions en France, est un tremplin pour se sentir plus en confiance et prendre de nouvelles responsabilités. C'est l'occasion de se mettre en danger pour se tester sur le marché du travail, mais aussi d'acquérir de nouvelles compétences qui ne sont pas que linguistiques : nouvelles règles de vie, de travail, apprentissage de techniques ou de technologies, immersion dans une culture nouvelle... les avantages sont multiples... et les défis aussi ! »

Traditionnellement, c'est à travers une représentation pyramidale d'une progression verticale qu'est évoquée l'idée de carrière. Le professionnel gravit successivement les étapes de l'échelle promotionnelle, de façon ascendante, pour monter dans la hiérarchie. Cette organisation, plutôt idéalisée, est toutefois bouleversée par la réalité sociale qui est autrement plus complexe. Différents types de contrats existent : à durée indéterminée, à durée déterminée, en formation, en alternance, en temps partiel, etc. Dès lors, **la carrière peut prendre des formes variées, discontinues, moins linéaires et dorénavant nomades**. Les parcours professionnels peuvent être sédentaires, migrants, ou même sans frontières et virtuels. L'individu change d'entreprises à plusieurs reprises dans son parcours. Il s'installe aussi dans différentes zones géographiques. Il s'agit souvent moins d'un projet de parcours dans une entreprise et davantage d'une idée subjective d'accomplissements professionnels propres à chaque individu qui peut passer par différentes entreprises de tailles diverses. La carrière se pense à la fois de façon verticale avec une progression dans les postes et les responsabilités, mais également de façon horizontale avec une mobilité importante dans les positions.

Depuis quelques années, les études supérieures ciblent sur l'internationalisation des carrières, facilitent les échanges d'étudiants entre les pays et mettent en avant l'importance de l'apprentissage de langues étrangères. Les nouvelles générations sont ainsi de plus en plus armées et éduquées à voir le monde comme un immense champ d'exploration professionnelle. L'expatriation est devenue un choix incontournable à prendre en considération par les jeunes professionnels dans leur stratégie de carrière.

Les ancres de carrière sur lesquelles s'appuient les décisions d'évolution professionnelle

Pour expliquer comment les individus fondent leurs choix tout au long de leur carrière, Edgar H. Schein[1] a mis en avant le concept d'ancres de carrière. Elles représentent les valeurs essentielles sur la base desquelles les décisions d'évolution professionnelle sont prises par un individu au cours de sa carrière. Elles permettent d'expliquer les facteurs qui vont conditionner les choix de chaque personne pour la gestion de son parcours professionnel. En fonction de l'ancre principale qui régit le parcours d'un individu, l'expatriation peut être considérée comme bénéfique ou à l'inverse non attrayante.

Les ancres de carrière et le rapport à la mobilité

Jean-Luc Cerdin[2] a défini les différents types d'ancre de carrière :

- ancre technique : expertise professionnelle qui peut être recherchée de façon internationale ;
- ancre sécurité : recherche de stabilité. L'expatriation peut alors apparaître comme une désorganisation et une prise de risque ;
- ancre management : leadership, responsabilité et gestion d'équipe. L'expatriation est une possibilité de progression de carrière, mais aussi un moyen de déployer un pouvoir de décision plus important ;

→

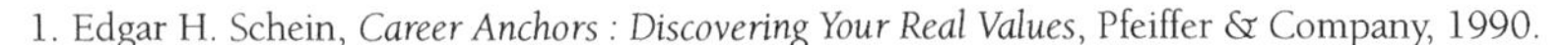

1. Edgar H. Schein, *Career Anchors : Discovering Your Real Values*, Pfeiffer & Company, 1990.
2. Jean-Luc Cerdin, *L'Expatriation*, *op. cit.*

→

- ancre créativité : sens de l'entrepreneuriat et de l'innovation. L'expatriation représente la possibilité de solutions novatrices ;
- ancre de l'autonomie : indépendance dans le travail et adaptabilité, ce qui correspond aux qualités requises pour mener à bien une mobilité internationale ;
- ancre de l'engagement : dévouement à une cause ou volonté d'apporter un service aux autres. L'expatriation est envisagée si elle représente une possibilité d'être utile ;
- ancre du défi : attrait pour les prises de risque et une certaine forme de compétitivité, ce qui correspond au défi propre à l'expatriation ;
- ancre qualité de vie : équilibre vie professionnelle et vie privée, avec besoin de se sentir en harmonie avec son environnement. L'expatriation peut être perçue comme la possibilité de gagner en qualité de vie.

Par la suite, certains auteurs ont ajouté à cette liste l'ancre guerrière, l'ancre d'apprentissage continu, l'ancre d'influence, l'ancre de l'identité ou bien même celle de l'internationalité. Cette dernière représente le goût pour les nouvelles expériences, pour la découverte d'environnements différents, pour les challenges et pour les interactions interculturelles. Une personne possédant des ancres favorables à la mobilité, comme l'autonomie ou le sens du management, pourrait être tentée par un départ à l'étranger. En revanche, une ancre plutôt située autour de la stabilité pourrait susciter des réticences. Pour les entreprises, être attentif aux ancres de carrière permettrait d'anticiper la réussite ou l'échec d'une expatriation due à une dissonance personnelle qui se traduirait par une élévation de l'anxiété et du stress chez l'individu.

Pour identifier vos ancres de carrière, vous pouvez réaliser des bilans de compétence et des entretiens de carrière.

L'apogée d'un nouveau type d'entrepreneurs

Tous les expatriés ne sont pas obligatoirement des salariés d'entreprise envoyés en mission à l'étranger. Les entrepreneurs sont de plus en plus nombreux à partir s'installer dans un autre pays pour mettre en route leur propre société ou pour y installer des filiales. On les appelle les « **expat-preneurs** ». Ces entrepreneurs possèdent des qualités personnelles qui correspondent au désir de se lancer de nouveaux défis. Celles-ci sont même amplifiées par l'installation dans un nouveau pays. L'importance de réussir à s'adapter touche alors toutes les sphères de la vie de l'individu : sociale, relationnelle, mode de vie, alimentaire, psychologique, mais aussi professionnelle et donc financière. Il existe de grandes similitudes entre les profils des entrepreneurs et ceux des expatriés. Dès lors, il n'est pas étonnant de les voir fréquemment se combiner. Ils perçoivent les possibilités nouvelles et les opportunités où qu'ils soient, ils sont adaptables, créatifs, ouverts à la nouveauté et aux prises de risques. Les qualités correspondant à l'ancre de l'entrepreneuriat sont ainsi celles que l'on retrouve également dans les compétences nécessaires à l'expatriation. En effet, pour réussir son installation dans un nouveau pays, il est tout autant nécessaire de se montrer réactif face aux imprévus, d'oser tenter de nouvelles procédures et des démarches innovantes ou de faire preuve d'ouverture aux autres.

Vincent, entrepreneur en Angleterre : « Pour moi, un entrepreneur expatrié est un inconscient alors qu'un salarié expatrié est un rêveur ; la difficulté est du même niveau, mais différente dans la nature. L'entrepreneur qui crée sa société à l'étranger part totalement de zéro avec un nouvel avocat, un nouveau banquier, un réseau professionnel et une culture d'entreprise à mettre en place. Il se prend tout dans la figure tout de suite. Il fait un reset complet de sa vie pro. Si je fais une analogie avec le monde de l'informatique, je dirais qu'on lui change sa mémoire (il repart de 0), mais il garde son système d'exploitation (sa société ou son idée). Le salarié expatrié, quant à lui, change de collègues, de méthodes, de réseau entreprise, mais, surtout, il est mis en concurrence avec des locaux qui maîtrisent mieux la langue et la culture. Il va peiner plus longtemps. Si je reprends l'analogie avec l'informatique, je dirais qu'on lui change son système d'exploitation (sa manière de fonctionner), mais il garde sa mémoire (sa technicité qui l'a fait partir). »

Il existe un autre type de profil qui s'engage dans la voie de l'entrepreneuriat. Ce sont les conjoints d'expatriés qui ne pouvant pas ou ne souhaitant pas travailler en entreprise optent pour une profession de type libéral et la création de petites entreprises. S'investir dans une profession nomade permet de suivre les différentes évolutions familiales tout en maintenant une continuité dans l'entreprise personnelle. Cela permet ainsi de trouver un équilibre de vie, notamment en combinant famille, travail et déménagements successifs.

Une expatriation qui impacte fortement la carrière des conjoints

Dans le cadre d'une mobilité internationale où seul l'un des conjoints est transféré, la question du travail de l'autre partenaire se pose donc tant au niveau du besoin d'exercer une activité professionnelle, que pour les bénéfices financiers et psychologiques que cela apporte au couple.

Quand les couples sont en théorie professionnellement actifs

On trouve des couples dits à « **double revenu** » ou à « **double emploi** » où les deux partenaires participent financièrement au budget familial. L'expérience internationale avec la possibilité d'obtenir des indemnités de l'entreprise ou une augmentation de salaire pour l'expatrié peut compenser la perte de salaire du conjoint. Le conjoint peut se retrouver dans une position où son salaire ne devient plus aussi fondamental pour la vie du foyer. Il peut alors investir à l'étranger d'autres domaines de réalisation, que ce soit familial ou personnel, sans ressentir autant le poids de la pression financière. Ou bien, au contraire, la perte financière reste significative et le conjoint part s'installer à l'étranger avec l'objectif de retrouver un travail, au plus vite, même si ce travail ne correspond pas à ses aspirations initiales. Ce conjoint entame son projet d'expatriation avec une pression supplémentaire qui peut accroître le stress de l'installation.

Il existe aussi des couples à « **doubles carrières** » où chacun des partenaires occupe un poste fortement investi, parfois fruit de longues études ou de nombreuses années d'expérience. Le travail fait pleinement partie de l'identité individuelle. Chacun s'y reconnaît et y accorde une part relativement importante de son individualité. Le revenu n'est pas le seul enjeu. En termes psychologiques, la configuration conjugale de la double carrière peut contenir une notion de rivalité, voire de compétition entre les conjoints. Les salaires, les responsabilités ou la progression dans l'échelle hiérarchique peuvent se comparer. Un puissant sentiment d'échec et de sacrifice peut apparaître chez celui dont l'activité professionnelle doit être interrompue. Si le conjoint abandonne son poste en ayant l'impression de ne pas l'avoir pleinement choisi, c'est le couple entier et la mission d'expatriation dans son ensemble qui risquent d'en pâtir. Avec le nombre croissant de familles à double carrière, les entreprises ont de plus en plus de difficultés pour trouver des candidats qualifiés qui soient enclins à un transfert international. Pourtant, les mesures d'aide de la part de l'entreprise restent relativement rares. C'est le plus souvent au couple lui-même de trouver des mesures incitatrices favorables pour le conjoint.

Il est aussi important de réfléchir au stade où en est le couple à double carrière dans sa relation conjugale, car certaines étapes de la vie de couple sont plus propices à une mobilité que d'autres. De cette façon, on constate que ce sont les jeunes couples, sans enfants ou bien avec de très jeunes enfants, qui sont les plus aptes à une installation à l'étranger. Même chose lorsque les enfants sont grands et ont quitté le nid familial.

Comment le conjoint gère sa carrière

Accompagner son mari ou sa femme dans une expatriation peut signifier quitter un parcours professionnel et familial classique. Il va alors s'agir de se représenter le travail d'une façon différente. C'est la notion même de carrière qui est d'ailleurs à repenser. Avec adaptabilité, souplesse et créativité, de nouveaux projets peuvent être à considérer. Une reconversion ou une nouvelle formation peuvent être envisagées. La mobilité professionnelle peut s'effectuer dans une direction nouvelle, non par une spécialisation de plus en plus pointue, mais par une diversité d'aptitudes et d'expériences à travers différentes fonctions. Il s'agit alors de découvrir les autres talents permettant d'élargir le panel des compétences.

On parle de logique de carrière interne plutôt que de logique de carrière externe. Au lieu d'évaluer sa carrière en fonction de critères reconnus socialement et identifiables par des marqueurs externes (comme le salaire, la grille des postes et des niveaux, les promotions, etc.), c'est un repère plus intime qui prime. La satisfaction personnelle envers sa propre carrière s'inscrit alors en fonction de critères plus subjectifs privilégiant le bien-être, la qualité de vie, les réalisations personnelles, la qualité des relations familiales ou bien différents rôles sociaux autres que professionnels.

Pour Sophie, partir s'installer à l'étranger signifiait pouvoir faire une pause professionnelle afin de s'occuper de son jeune fils, mais aussi pouvoir mettre en route un deuxième enfant. Elle a négocié avec la société qui l'emploie en France un congé sabbatique, le temps de l'expatriation. Même si cette pause dans son parcours signifie ralentir sa progression de carrière, Sophie sentait le besoin de privilégier un temps consacré à sa famille pendant ces quelques années.

Avec une flexibilité importante, la carrière n'est plus construite et anticipée en fonction d'une méthode structurée, mais elle peut évoluer au gré des rencontres, des opportunités ou bien des besoins du nouveau pays.

La notion de « **carrière portable** » est également de plus en plus utilisée pour décrire les activités professionnelles qui peuvent être transférables au gré des mutations. Il s'agit le plus souvent de métiers d'auto-entrepreneurs qui s'appuient sur les outils informatiques pour toucher une clientèle internationale. Les professionnels nomades se détachent d'un cadre rigide lié à une localité ou à une structure pour mener une activité professionnelle plus souple et aménageable. Nombreux sont ceux qui se dirigent vers des emplois utilisant Internet et les nouvelles technologies pour pouvoir rester en contact avec le monde entier, quel que soit l'endroit où ils se trouvent. D'autres s'orientent vers des métiers facilement réalisables à l'étranger, comme les métiers du domaine artistique, l'enseignement, l'artisanat ou le conseil.

Delphine Boileau-Terrien qui accompagne les femmes dans leur reconversion professionnelle témoigne : « Le conjoint accompagnateur qui a dû quitter son emploi, volontairement ou pas, vit une véritable cassure en suivant son conjoint en expatriation la première fois. Elle quitte absolument tout, tout comme son mari expatrié. L'énorme différence est que contrairement à lui qui sait pourquoi et ce qu'il va faire de ses journées, la femme expatriée doit absolument tout recréer. Cela veut dire qu'elle doit commencer par se retrouver elle-même dans son identité propre. Celle qui le voit positivement prend l'expatriation comme un vrai tremplin pour trouver sa voie professionnelle. Elle s'autorise totalement à avoir un projet qui donne du sens bien au-delà du temps de l'expatriation, à sa vie de femme. Pour un certain nombre d'entre elles, elles vont créer leur entreprise alors que pour beaucoup, elles n'ont aucun entrepreneur dans leur entourage et n'auraient pas envisagé cette éventualité sans être parties en expatriation. Elles le font néanmoins, car elles veulent avoir un projet pérenne et qui leur permette de travailler quel que soit le lieu de vie. De ma propre expérience d'expatriée depuis huit ans et accompagnant ces femmes dans leur reconversion, je pense que l'expatriation est une véritable opportunité [...] qui nous permet d'être totalement nous-mêmes. »

Il arrive pourtant que certains ressentent une sorte de dénigrement quant à leur parcours professionnel fait de « stop and go », c'est-à-dire d'une alternance de périodes d'emplois et de pauses, avec qui plus est des expériences professionnelles manquant parfois de cohérence. Changeant au gré des opportunités et des mutations, elles les considèrent parfois sans continuité ou sans logique évidente.

Mettre en avant le parcours du conjoint

La carrière du conjoint en expatriation n'est pas classique, elle réclame donc une attention plus particulière.

- ✓ Identifiez les différentes expériences que vous avez eues (professionnelles, associatives ou scolaires) et intégrez-les dans un CV en mettant en avant le lien qui existe entre elles.
- ✓ Soulignez ce que ces expériences vous ont appris en termes de compétences et ce que vous avez réalisé en termes d'actions concrètes.
- ✓ Anticipez ce que vous souhaitez faire dorénavant, riche de tout votre parcours.
- ✓ Appuyez-vous surtout sur votre réseau pour retrouver un poste qui vous intéresse. Encore une fois, votre parcours n'est pas classique, vos démarches ne doivent pas l'être non plus.

Gardez en tête que votre parcours en expatriation traduit des qualités de flexibilité et des capacités de réactivité et de remise en question importantes. De même, des projets variés sont gages d'audace et de persévérance, ce qui représente des atouts importants qui peuvent également être mis en avant.

On fait le point...

1. Quelles actions votre entreprise a-t-elle mises en place pour vous aider dans votre expatriation ?
2. Vous sentiez-vous disposé à partir vous installer à l'étranger ?
3. Que représente pour vous une carrière internationale ?
4. Que pensez-vous retirer professionnellement de l'expatriation ?
5. Quel impact l'expatriation a-t-elle eu sur la carrière de votre conjoint ?

Chapitre 2

Quels sont les effets d'un départ à l'étranger sur les relations sociales ?

« Pour que ce monde ne se transforme pas en une prison, chacun devra pouvoir y vivre à la fois en sédentaire et en nomade : transhumain, telle sera l'utopie à construire, au service d'un "bien commun". »

Jacques Attali[1]

Le monde contemporain est devenu un champ entier d'exploration possible. Les pays sont dorénavant de plus en plus accessibles, avec des échanges réels ou virtuels qui s'intensifient. L'individu peut être simultanément ici et là-bas, avec une normalisation du déplacement touristique, universitaire ou professionnel. Partir est devenu une possibilité concrète et souvent soutenue par la réalité du monde économique.

1. Jacques Attali, *L'Homme nomade*, Le Livre de poche, 2003.

Une époque marquée par la mondialisation

Que signifie la mondialisation ?

La mondialisation désigne ce processus d'intégration planétaire à différents niveaux qui résulte de la libération des échanges, du développement des moyens de transport humains et marchands, ainsi que du déploiement de l'information et de la communication à une envergure mondiale.

L'ordre économique, mais aussi l'ensemble des relations sociales et culturelles se trouvent alors bouleversés. Les sociétés deviennent de plus en plus cosmopolites. Les frontières se réduisent. Les mouvements migratoires, touristiques ou virtuels s'intensifient et font fi des distances. Les conséquences de la globalisation touchent également une suprématie culturelle dominante. Sur le plan de la linguistique, certaines langues s'imposent. L'anglais est devenu la langue de référence dans de nombreux domaines comme le monde de la finance, des médias, de la recherche ou des technologies. Sur le plan comportemental, un esprit compétitif et une tendance à l'individualisme semblent caractériser les pays occidentaux. La gestion des entreprises et le style de management professionnel, basés sur la performance et le profit, deviennent également des références universelles.

Le risque d'une internationalisation obligatoire des élites ?

L'expatriation concerne principalement certaines catégories socioprofessionnelles comme les cadres, les ingénieurs et les directeurs. Le risque est que le déploiement de ce type de profils accentue les clivages sociaux. L'internationalisation des élites est ainsi souvent évoquée. Certains reprochent une « fuite ou une circulation des cerveaux ». Anne-Catherine Wagner[1] évoque « les nouvelles élites de la mondialisation » avec l'émergence d'une classe dominante internationale. Pierre-André Taguieff[2] dénonce, quant à lui, le bougisme, c'est-à-dire la tyrannie du changement et l'obligation d'un mouvement en avant perpétuel des nouvelles élites transnationales. D'ailleurs, les formations des futurs cadres et managers passent bien souvent par un séjour à l'étranger obligatoire. L'internationalisation est devenue un incontournable pour tout futur manager, indépendamment de sa disposition personnelle. Qu'en est-il des aptitudes psychologiques nécessaires pour faire face aux changements drastiques que l'expatriation entraîne pour l'expatrié lui-même, mais aussi pour l'ensemble de sa famille ? Autorise-t-on à un cadre à refuser l'expatriation sans que cela soit préjudiciable pour sa carrière ? Sous-entend-on que tous ont la capacité psychique, l'animation et la volonté pour s'installer dans un autre pays ?

L'expatriation issue de la mondialisation touche ainsi non seulement les cultures, mais aussi les ressources individuelles. Autant le développement des ressources intérieures individuelles, stimulé par les défis de l'expatriation, peut être une source d'épanouissement pour l'individu, autant une internationalisation non désirée, non préparée et imposée entraîne des risques de préjudices psychiques chez les individus en perte de liens sociaux. Les entreprises responsables de l'accélération de l'expatriation gagneraient à prendre en compte les particularités individuelles, familiales, mais aussi interculturelles afin de permettre la réussite de l'expatriation.

1. Anne-Catherine Wagner, *Les nouvelles élites de la mondialisation*, PUF, 1998.
2. Pierre-André Taguieff, *Résister au bougisme...*, *op. cit.*

Des relations sociales complexes en expatriation

La question des relations sociales est de premier ordre dans la mobilité internationale. Le support social impacte la façon dont l'individu se sent apprécié. Il participe au bien-être de celui qui se sait entouré. Établir une relation de confiance et d'attachement d'ordre amical favorise une meilleure estime de soi, renforce l'assurance personnelle et procure plaisir et contentement. Doté d'un meilleur équilibre psychosocial, l'individu s'avère capable de faire plus efficacement face aux situations difficiles et anxiogènes. Ainsi, développer un réseau amical est porteur de résilience.

Le besoin de se reconstruire rapidement un réseau social

Souvent à l'arrivée, une période assimilable à une quarantaine sociale s'instaure. Cette période permet de se consacrer à la mise en place des aspects pratiques de l'installation, comme les démarches logistiques et administratives. Intégrer les réseaux et groupes d'accueil francophones peut être une source importante de conseils et d'informations favorisant une meilleure intégration dans le nouveau pays.

Lorsque je suis arrivée aux États-Unis il y a dix ans, j'ai pu rejoindre un groupe constitué d'une dizaine d'amies françaises qui souhaitaient, au travers d'un Yahoo groupe, ne pas perdre contact entre elles. Peu à peu mon implication au groupe est devenue plus importante, avec l'organisation de rencontres thématiques, de sorties au parc et d'échanges par e-mails. Dix ans plus tard, ce groupe, gratuit, piloté par trois Françaises bénévolement, compte plus de 600 membres, toutes des mamans francophones résidant dans la Silicon Valley. Le succès de ce groupe vient de l'échange d'informations, d'une coopération et d'une solidarité entre mamans ayant connu les mêmes difficultés d'expatriation. Les questions d'ordre pratique pour la vie des enfants ou le quotidien sont ainsi discutées. Les événements intéressants pour la famille sont partagés. C'est sans obligation, la participation y est libre. C'est cet engagement volontaire dans un esprit de partage et d'entraide qui a fait prendre de l'essor à un groupe à vocation de soutien et de coopération.

Les amitiés entre concitoyens offrent plusieurs avantages. Tout d'abord, il existe une similitude dans les expériences et les références antérieures. Des points communs peuvent plus facilement exister, comme une même origine régionale, une éducation semblable, ou des repères de vie identiques qui renforcent le sentiment de proximité, voire de simili parenté. Une alliance se fait au travers d'un sentiment de cohésion sociale qui provient de références culturelles similaires, de valeurs communes et d'un échange linguistique facilité. Les concitoyens peuvent parfois faire davantage preuve de compréhension et permettre aux nouveaux venus d'éviter certaines erreurs propres aux novices. Une réelle solidarité peut se mettre en place entre des « orphelins sociaux » qui ne comptent souvent plus que sur eux-mêmes.

Entre groupes d'amis proches se crée une seconde famille avec une aide réciproque. La communauté peut aussi se constituer par le biais d'un ensemble plus important d'expatriés, venus de différentes origines géographiques. L'occasion de rencontrer des compagnons d'expatriation de différentes nationalités, riches d'expériences multiples, mais possédant une similitude quant au parcours est alors source d'enrichissement personnel.

Le film de Cédric Klapisch *L'Auberge espagnole* (2002) parle de l'amitié interculturelle qui fait évoluer en profondeur le personnage principal. Ce film décrit les rencontres internationales et le rôle des rapports humains dans un enrichissement cosmopolite. La diversité culturelle et le développement évolutif des personnages représentent la construction de la personnalité et les multiples facettes de l'évolution individuelle. On y voit aussi la difficulté de cohabiter avec des individus de nationalités et de langues diverses, et en même temps existe la possibilité de mettre en place des stratégies innovantes pour surmonter ces difficultés linguistiques et culturelles.

À côté de ces aspects positifs, il apparaît en même temps une contrepartie moins avantageuse à rester entre compatriotes : **une sorte de vie en vase clos peut se produire**, en marge de la réalité sociale locale. L'intégration dans la réalité de la culture autochtone est freinée. À la fois, ni en France ni dans le pays local, une organisation sociale un peu hybride s'installe. La frustration et l'insatisfaction de n'être ni ici ni là-bas peut toucher le moral et donner lieu à des déprimes.

Certaines situations de transfert professionnel à l'étranger impliquent des mesures de sécurité plutôt extrêmes comme une installation dans des **compounds**. Les compounds sont des quartiers résidentiels fermés et sous la surveillance d'un service de protection. Ils sont fortement recommandés dans des pays à risques qui requièrent une attention plus particulière pour la sécurité des expatriés et de leur famille, par exemple dans certains pays du Moyen-Orient. Une vie recluse et sécurisée y est aménagée, ce qui implique une forte proximité entre résidents. On se lie, on se fréquente, on s'invite dans l'espace du lotissement aux périmètres exigus. Cela fait naître pour certains un sentiment d'oppression où les libertés individuelles sont étouffées. Les voisins sont destinés à devenir le cœur des relations sociales, bien qu'ils n'aient pu être librement choisis. En même temps, partager une vie semblable et communautaire peut être parfois rassurant, surtout dans des pays considérés comme dangereux.

Dans son journal, Lucy Werther témoigne jour après jour de la difficulté de s'adapter à un pays gouverné par la loi islamique, ce qui l'oblige à sortir voilée de chez elle et à résider dans un logement sécurisé pour étrangers : « Nous habitons dans un compound, nom donné aux résidences réservées aux étrangers. Nous bénéficions d'un petit supermarché, de piscines, d'une salle de sport, d'aires de jeux et de loisirs. Un peu comme un village de vacances. Mais nous sommes entourés de hauts murs et coupés du monde [...] Je commence à connaître des gens dans le compound, qui est l'endroit le plus cosmopolite que je connaisse, exceptés les halls d'aéroport. Mon voisin de droite est écossais, sa femme thaïlandaise, mon voisin d'en face irlandais, sa femme finlandaise, derrière vit un Australien (de mère libanaise et de père syrien), je n'ai pas de voisin de gauche. »

Pour certains expatriés toutefois, il est important de miser avant tout sur une intégration totale dans le pays d'adoption. Un rejet de la communauté d'origine est revendiqué, au profit d'une immersion plus radicale avec les locaux. L'objectif est de rencontrer exclusivement des personnes issues de la culture locale. Rejeter ses concitoyens peut parfois signifier rejeter une partie de soi. Un des dangers qui en résulte est un clivage avec une idéalisation des locaux (préjugés positifs), au détriment des concitoyens (préjugés négatifs). Les bénéfices issus d'une fréquentation importante et non exclusive des locaux sont nombreux. Une vision plus juste du pays et de ses coutumes peut se faire, avec une meilleure acquisition de la langue et une plus fine connaissance culturelle.

Construire une amitié à l'épreuve de la distance

Se lier d'amitié, c'est évaluer l'autre positivement, avec respect et connivence. L'impression d'être à la fois semblable et différent, dans un rapport de collaboration et de réciprocité, soutient les affects positifs et les liens d'attraction. Quel que soit le type d'attachement privilégié, **avoir des relations amicales est bénéfique pour le bon fonctionnement de l'organisme**. Une réaction chimique se crée au niveau du cerveau en situation de relations sociales. L'ocytocine, qui est une hormone sécrétée par l'hypophyse en grande quantité pendant l'accouchement, se retrouve aussi en quantité lors des interactions amoureuses ou amicales. Cette hormone posséderait ainsi un rôle majeur dans les fonctions d'attachement, de coopération, d'altruisme ou d'empathie. Elle aide aussi à mieux gérer le stress.

Dès l'annonce du départ, **les réactions des amis dans le pays d'origine** peuvent considérablement varier. La nouvelle peut être accueillie de façon très enthousiaste. Les bénéfices que peut avoir cette expérience pour l'expatrié sont mis en avant. Une identification avec celui qui part peut même donner l'impression de partager l'aventure internationale par procuration. Mais il y a aussi ceux qui réagissent avec plus de véhémence, d'incompréhension ou même de colère. La jalousie peut également prendre le dessus et provoquer des réactions plus hostiles. L'expatriation peut éveiller des ressentiments et un sentiment de trahison.

Même si la distance peut ébranler les amitiés, elle n'est pas toujours préjudiciable. Plusieurs bénéfices peuvent résulter de cette distance :

- un **discernement amical** : une relation avec un engagement mutuel plus profond et plus important ;
- une **qualité des rencontres** : la plus grande difficulté pour se retrouver permet d'apprécier davantage les moments partagés ;
- une **qualité des échanges** : la distance peut permettre un contact qui favorise l'expression de sentiments de manque, d'estime, de nostalgie, qui sont parfois plus faciles à écrire qu'à dire en raison d'une certaine pudeur dans l'expression de son attachement amical ;
- une **créativité dans les contacts** : la difficulté de maintenir le contact requiert le besoin de recourir à d'autres stratégies d'échanges notamment grâce aux nouvelles technologies ;
- une **intensité dans les retrouvailles** : les retours pendant les congés ou bien les visites peuvent être le moyen de raviver la flamme amicale. Certains veulent créer des moments magiques et exaltants, comme des voyages, des réunions festives ou des surprises.

Parfois aussi, peu d'échanges peuvent exister avec certains amis vivant loin. Pourtant, ni la distance géographique ni la durée de l'absence n'ont altéré l'engagement amical profond. C'est une mémoire commune et partagée qui engage ces relations amicales en devenant presque un élément de l'identité personnelle de chacun.

Giulietta, Italienne, ayant vécu en France, au Japon, en Inde et aux États-Unis, explique : « Quand je suis partie en 1997, j'ai laissé derrière moi des amitiés très solides, les amitiés de l'enfance et de l'adolescence. C'était dur, mais dès le début j'ai cru que ces amitiés pourraient résister à la distance si elles étaient vraies. D'ailleurs, y croire est très important pour mettre l'énergie nécessaire afin de maintenir le contact. Dix-sept ans après mon départ, la plupart des amis sont encore là. Ils nous ont suivis, ils nous ont apporté leur soutien, ils ont toujours été là quand nous avions besoin d'eux. Nous ne partageons plus la vie quotidienne, mais notre relation a gagné en qualité, ce qui va au-delà du temps passé ensemble. »

Les amitiés qui naissent en expatriation peuvent parfois ressembler à celles des adolescents durant les vacances d'été, c'est-à-dire fortes, courtes et passionnées. L'identification et l'idéalisation sont à leur apogée. La possibilité qu'elles soient éphémères limite son évolution graduelle. Il faut vite en profiter avant un nouveau départ. Aussi, en l'absence de la famille et des amis d'enfance qui forment un support solide de confiance, le nouvel ami rencontré à l'étranger devient rapidement porteur de nombreuses attentes. Substitut des copains laissés au pays, la relation amicale qui commence à s'établir peut parfois être précipitée pour combler des besoins et des manques.

Chez les expatriés, la période de la fin d'année scolaire correspond souvent à celle des départs, tandis que la fin de l'été est celle des arrivées. Pour ceux qui sont implantés dans le pays et qui voient défiler de nombreux transférés à durée déterminée, les séparations récurrentes tendent à endurcir le sens de l'accueil. Une stratégie d'évaluation rapide des possibles affinités partagées, en termes de loisirs ou d'âge des enfants, permet parfois de valider si un investissement amical est intéressant. Certains se protègent en se montrant froids et distants envers les nouveaux venus, ce qui peut être perçu comme une attitude hostile par celui qui, à l'inverse, est avide de faire de nouvelles connaissances. Cette attitude de défense a souvent pour objectif d'atténuer l'anticipation d'une future souffrance due aux séparations. Les ruptures périodiques des attachements amicaux poussent certains à privilégier des réseaux plus restreints, ou même à adopter une attitude de repli sur soi. D'autres, à l'inverse, positivent les départs des amis en y voyant l'opportunité d'étendre un réseau amical plus international. La gestion des séparations et des départs reste une épreuve émotionnellement complexe. Quand les mutations professionnelles se succèdent, il peut être lassant et éprouvant de s'attacher à des compagnons d'aventure et à un environnement culturel qu'il faudra bientôt quitter.

Isabelle a écrit sur son blog un magnifique témoignage. En voici un extrait : « Les amitiés en expatriation, c'est improbable, c'est soudain, c'est par hasard, c'est intense et parfois c'est éphémère, c'est comme cela. [...] C'est toujours un pincement au cœur pour celui qui s'en va. Mais, chaque fois, ça l'est aussi pour celui qui reste... d'autres arrivent, c'est un peu comme une relève, et le cycle continue... Certains, ceux qui sont là depuis des années et qui resteront malgré tout, ne veulent plus s'engager dans des amitiés : trop dur de voir cette valse, trop difficile de s'engager pour une durée limitée d'avance. Après, la vie continue pour chacun de son côté. On arrive à maintenir cette amitié avec certains, il reste toujours cette complicité, ce lien, ce point commun. Parfois, ce fil se casse : l'amitié s'estompe, elle ne résiste pas, comme si ce qui nous avait tant unis n'existait plus. Parfois même, elle casse complètement, brutalement. Le charme est rompu, l'amitié a disparu. Les amitiés en expatriation, c'est un peu une valse, mais, au final, c'est intense, c'est enrichissant, mais c'est éphémère. Il faut savoir les saisir au vol pour ne pas passer à côté... Les amitiés en expatriation, ça part, ça vient, c'est incertain, c'est tout terrain, c'est soudain, c'est lointain, mais c'est aussi ce qui nous fait nous sentir bien, dans un endroit que nous devons apprivoiser au fil des mois. »

L'amitié en expatriation possède de nombreuses facettes. Par les difficultés provenant de la distance avec les amis anciens et le caractère éventuellement passager et soudain avec les amis sur place, l'amitié n'est pas toujours une évidence ou une chose simple à mettre en place. Elle provient d'une aptitude à pouvoir construire une relation de confiance d'un genre nouveau.

Réussir à gérer la solitude et l'isolement

Pour aller vers l'autre, il est tout d'abord nécessaire de se sentir en confiance, ce qui correspond à une certaine assurance personnelle et un désir d'aller à la rencontre de l'autre. Or, si l'expatrié ne se sent pas bien, cela peut freiner son inclinaison à découvrir d'autres personnes, ce qui accentue son mal-être et augmente sa solitude. Un cercle vicieux d'isolement s'installe.

Samantha explique : « Je suis quelqu'un de plutôt timide, et plus jeune je n'allais pas parler spontanément aux gens. Maintenant, je vais beaucoup plus facilement voir ceux qui parlent français dans les pays étrangers, car les choses se font plus facilement. J'ai appris. Avec le recul, il y a deux choses importantes. Tout d'abord l'appréciation du pays dans lequel tu t'installes ne dépend pas uniquement du pays en lui-même, mais ça dépend aussi des circonstances. Si tu arrives dans un nouveau pays avec le regret d'en quitter un autre, ou dans des conditions de vie difficiles, tu es moins prêt pour aller à la rencontre des gens sur place. Et aussi, au début, c'est difficile, il faut l'accepter et ne pas sombrer dans la déprime. Il faut bien quelques mois pour comprendre et accepter où l'on vit et alors on est prêt à se faire des amis. Il faut prendre son temps et ne pas désespérer. »

L'expatrié célibataire ou qui s'installe à l'étranger seul ne peut pas compter sur la présence d'un conjoint pour l'épauler ou le conseiller. Il ne tient qu'à lui de faire des rencontres et de développer son réseau amical. Décisionnaire dans ses choix et autonome, il possède une liberté d'action dans sa participation sociale et dans l'engagement qu'il voue à ses centres d'intérêt. Il peut pleinement s'investir dans l'expérience de la vie à l'étranger, tant dans le domaine professionnel que social. Encore faut-il être dans un pays offrant un cadre socio-culturel engageant et dépasser une éventuelle timidité.

Dans le cas des « **célibataires géographiques** » qui partent s'installer à l'étranger sans leur famille, une étude[1] met en avant une tendance à adopter une attitude de rejet ou d'opposition vis-à-vis de la culture locale : « La situation d'expatriation en célibataire géographique semble ainsi avoir des répercussions négatives en termes d'intégration sociale lors de l'expatriation qui se répercutent, comme nous l'avons vu, sur leur adaptation. » Privés du soutien social,

1. http://centremagellan.univ-lyon3.fr/fr/articles/88_455.pdf

émotionnel et logistique qu'offre la famille, les célibataires géographiques adoptent une attitude d'isolement social et interagissent peu avec les locaux.

La possibilité de se retrouver en marge des relations sociales est aussi très présente pour **le conjoint de l'expatrié qui ne travaille pas**. S'il n'entame pas des démarches pour aller à la rencontre des autres, il encourt le risque de s'isoler et de vivre en ermite durant l'absence de l'époux ou de l'épouse qui part travailler. Ce risque de repli social est d'autant plus fort s'il n'y a pas d'enfants offrant des opportunités de contact à travers les parcs ou les écoles par exemple.

L'expatrié qui part en famille jouit pour sa part de la présence de son conjoint et de ses enfants. Être en famille implique certes des difficultés supplémentaires, comme le choix d'un logement plus grand, la gestion des activités scolaires et parascolaires, ou bien la recherche d'emploi pour le conjoint. Mais en même temps, cela permet de ne pas être seul dans l'aventure, de pouvoir traverser solidairement les épreuves et également d'avoir la possibilité de communiquer ses ressentis. Un soutien conjugal permet de lutter contre le repli sur soi. Une répartition des tâches implicite peut également s'effectuer. Tandis que celui qui a été muté doit se concentrer sur son travail, le conjoint qui ne travaille pas peut partir à la découverte de l'environnement social. C'est souvent lui qui se montre plus disponible pour aller à la rencontre des autres, expatriés ou locaux. À travers le réseau des parents d'élèves, les activités extrascolaires, les groupes de jeux pour les enfants, ou bien les groupes d'accueil d'expatriés, les possibilités de rencontres s'offrent plus aisément dans le cadre de la vie quotidienne plutôt que dans un cadre de travail parfois plus rigide et codifié.

Développer ses compétences sociales en expatriation

Quand on s'installe à l'étranger et que l'on ne maîtrise encore ni le cadre de vie, ni la langue, ni les lieux de rencontre possibles, développer ses compétences sociales peut être un véritable défi. Voici quelques recommandations :

- ✓ apprendre la langue locale devient rapidement un atout important ;
- ✓ rejoindre des associations ;
- ✓ pratiquer des activités sportives ou culturelles ;
- ✓ faire connaissance avec ses voisins ;
- ✓ se familiariser avec quelques commerçants ;
- ✓ assister aux fêtes locales ;
- ✓ s'investir dans la vie de l'école.

Si une anxiété sociale apparaît, faites appel à un professionnel psychologue ou coach.

Manier les différents types de communication en expatriation

Se constituer un groupe d'appartenance, amical et affectif, pour permettre des échanges de qualité, peut s'avérer assez complexe dans un environnement culturellement et linguistiquement distinct.

Maîtriser une communication non verbale

Une grande part de la communication se place à un niveau non verbal, très souvent inconscient, et s'exprime à travers des gestes, des émotions, une manifestation corporelle, un visuel ou une expression artistique.

La communication interculturelle fait référence à l'interaction qui a lieu entre des individus porteurs de cultures différentes, qui s'expliquent, négocient et partagent des messages explicites, implicites, conscients et inconscients.

Les différents modèles de communication interculturelle

Selon Philippe Rosinski[1], il existe différents modèles de communication interculturelle :

- modèle implicite/explicite : dans les cultures implicites, comme la France, les énoncés sont accompagnés d'importantes informations non verbales comme le ton de la voix ou les expressions corporelles. La qualité relationnelle et le sentiment de confiance entre les interlocuteurs jouent un rôle particulièrement important. En revanche, dans les cultures explicites comme les États-Unis, le choix des mots est déterminant. Les instructions sont détaillées et clairement formulées pour limiter les risques de sous-entendus ;
- modèle direct/indirect : dans les cultures à communication directe, comme les Pays-Bas ou les États-Unis, la franchise est une vertu qui permet davantage de clarté dans les propos. Toutefois, pour les cultures à communication indirecte, comme en Angleterre, cela passe pour une forme de brutalité. Pour eux, le maintien d'une bonne qualité dans les relations est privilégié. Les formes indirectes de communication, comme la médiation, les métaphores ou les allusions, y sont favorisées, ce qui peut donner lieu à des messages plus ambigus ;
- modèle affectif/neutre : on trouve aussi des cultures affectives, émotionnellement très démonstratives comme les Italiens, et des cultures plus neutres, où la communication se veut objective, factuelle et pragmatique comme en Chine ;
- modèle formel/informel : on peut également reconnaître des cultures à communication formelle, comme le Japon qui valorise rites,

→

1. Philippe Rosinski, *Le Coaching interculturel*, Dunod, 2009.

➜ protocoles, formules de politesse et gestuelle codifiée. À l'opposé, il existe des cultures à communication plus informelle et spontanée, comme les États-Unis. Les interactions y sont plus décontractées, avec d'ailleurs un « *you* » qui ne différencie pas l'informel « tu » du formel « vous ».

Reconnaître les différentes approches dans la communication interculturelle permet de mieux les anticiper, de s'y préparer et de s'y ajuster.

Gestes et expressions non verbaux : d'autres manifestations de la communication prennent appui sur le corps pour s'exprimer. S'habiller de telle ou telle façon peut exprimer un statut social, une identité culturelle, ou bien même un engagement philosophique ou communautaire. Certains gestes ont des significations bien particulières. Certains regards, des sourires, des signes de tête, de la main, ou des épaules sont des messages corporels porteurs de sens différents en fonction des cultures, de l'âge, du sexe ou des zones géographiques. Le toucher et les modes de salutations sont souvent particulièrement ritualisés et diffèrent en fonction des cultures, ce qui crée de possibles malentendus. Les expatriés ont tout intérêt à se familiariser avec les us et coutumes du pays d'expatriation pour éviter tout malentendu, mais surtout pour améliorer leur adaptation et la compréhension des coutumes locales.

L'alimentation comme expression culturelle : l'alimentation concerne des plats et des produits régionaux, souvent considérés comme des spécialités locales (identité collective), mais aussi une cuisine familiale qui répond à des habitudes personnelles et des souvenirs d'enfance (identité individuelle). Pour ce qui relève des plats typiques et de la cuisine dite du terroir, la relation aux aliments peut avoir une connotation culturelle importante. De cette façon, en Chine, la nourriture est fortement reliée aux vertus bénéfiques qu'elle peut posséder pour la santé de l'individu.

Hélène raconte les rencontres gastronomiques qu'elle a pu vivre : « Lorsque je vivais en colocation au Japon lors de mon stage de fin d'études avec des jeunes internationaux, nous partagions des soirées où chacun cuisinait un plat de son pays et apprenait aux autres à le faire, c'était à la fois intéressant et enrichissant. J'ai ainsi pu apprendre à faire un poulet yassa du Sénégal et une tortilla espagnole. Pour moi, l'alimentation comme l'apprentissage d'une langue permet de mieux s'approprier une culture, de la partager et de la comprendre. »

En ce qui concerne les traditions familiales et les habitudes alimentaires, elles peuvent provenir d'une combinaison de différents facteurs comme les finances familiales, le rapport à la nutrition et à la religion, les origines ethniques, les traditions et l'histoire familiale. L'aspect social et propice au partage des repas est aussi un élément important. L'alimentation, les repas et même l'acte de cuisiner sont synonymes de convivialité. L'aspect agréable du manger est associé au principe du plaisir et à la satisfaction de besoins primaires. C'est non seulement un échange avec autrui, mais également une rencontre avec soi-même qui renvoie au premier stade de l'évolution de l'enfant. De cette façon, la satisfaction de la gloutonnerie permet à la fois un apaisement de la faim, un contentement, mais aussi un soulagement de l'anxiété par analogie au réconfort primitif procuré dans la relation maternelle. Les souvenirs de saveurs, de repas et de traditions culinaires relèvent de repères familiaux réconfortants. Le repas est un élément culturel qui permet à l'expatrié de mieux appréhender le pays où il vit. C'est aussi un élément de réconfort et de satisfaction personnel hérité de sa propre histoire. C'est avec cette dualité, sociale et individuelle, que l'alimentation agit comme un catalyseur d'informations et d'échanges.

Solange précise : « La nourriture est quelque chose de très important pour moi. J'adore cuisiner et j'adore manger, je suis très sensible à la cuisine pour la réunion et pour le partage des repas. ça provient des traditions familiales dont j'ai hérité. À chaque fois que l'on a déménagé, c'était important de retrouver ce dont j'avais besoin pour cuisiner. Dès que je pouvais à nouveau refaire des petits plats, c'était comme si la vie pouvait reprendre. »

La communication non verbale interculturelle passe par plusieurs voies, tout aussi bien gestuelles, traditionnelles, commémoratives ou usuelles. Mais elle passe également par l'utilisation de mots et de phrases.

Échanger en maniant plusieurs langues

Le langage ne permet pas seulement de communiquer avec les locaux, mais aussi de mieux les comprendre. Ne pas pouvoir parler la langue locale, c'est également ne pas pouvoir se représenter, ne pas pouvoir exprimer ses goûts, ses opinions ou ses pensées. Dès lors, la grande difficulté pour l'expatrié est de se sentir non seulement à l'étranger, mais également un étranger pour les autres et pour soi-même.

La communication orale passe par le maniement d'un ensemble d'informations permettant de transmettre des messages. Il s'agit aussi bien de mots, d'une intonation, d'une attitude, d'un comportement physique, d'expressions, de modalités sonores ou visuelles. C'est ce que l'on nomme le « paralangage ». Au-delà des mots énoncés, il existe aussi le timbre de la voix, le volume, le rythme, les pauses et même les sentiments qui entourent ces mots.

La communication qui s'opère entre deux interlocuteurs issus de deux cultures différentes implique un probable décalage d'interprétation entre eux, chacun étant porteur d'un capital de significations implicites culturelles. De là naissent des malentendus interculturels, où chacun pense avoir compris ce que l'autre a dit, en interprétant les propos à l'aide de ses propres ressources culturelles qui ne sont pourtant pas celles de l'interlocuteur. La difficulté de s'exprimer et de pouvoir utiliser toutes les nuances du langage est particulièrement frustrante pour les expatriés. Des pays utilisant la même langue d'origine n'ont pas le même accent ni les mêmes expressions, ce qui requiert également un temps d'adaptation.

Élise, qui est suisse, s'est confrontée à ce problème en partant au Québec : « Bien que la langue soit également le français, la différence de langue entre le suisse et le québécois est assez importante. Au début, j'avais beaucoup de difficultés à comprendre mes collègues. C'était plutôt marrant au début, et aussi très enrichissant d'apprendre un nouveau vocabulaire dans ma propre langue ! »

Aujourd'hui, la moitié de la population mondiale est considérée bilingue. On appelle bilingue l'individu qui maîtrise deux langues avec l'aisance nécessaire pour répondre aux besoins spécifiques de son environnement socioculturel. Le bilinguisme dit « équilibré », c'est-à-dire avec un même niveau de maîtrise dans les deux langues est rare, car les stimulations dans chacune des langues varient en fonction des circonstances spécifiques. Être bilingue ne signifie pas être monolingue dans chacune des deux langues, à niveau égal et comparable, mais il s'agit en fait d'un état de compétence linguistique permettant d'être à l'aise dans chacune des langues employées, même si l'une d'elles est dominante. Pour certains, deux langues seront considérées maternelles. En même temps, ces deux langues représentent différents univers linguistiques et même culturels. L'une des langues peut être celle des parents, tandis que l'autre est celle de l'environnement social et du pays. Ou bien, l'une des langues peut être celle parlée avec maman, tandis que l'autre est celle parlée avec papa. Les deux langues ne sont alors pas employées de façon équilibrée en quantité ni en qualité.

Les types de bilinguisme

Il existe différents types de bilinguisme :

- le bilinguisme précoce simultané : correspond à un accès à la seconde langue dès la prime enfance (de bébé a 3 ans). L'apprentissage du vocabulaire se répartit entre les langues à un rythme différent. C'est parfois la facilité de prononciation d'un mot qui va inciter l'enfant à privilégier l'utilisation d'une des langues pour ce mot-là, ce qui induit parfois un mélange de langues au sein de la même phrase ;
- le bilinguisme précoce consécutif : correspond aux deux langues présentes durant l'enfance, à partir de 3-6 ans. Auparavant, la langue maternelle était exclusivement parlée dans l'environnement, ce qui la désignait comme la langue intrafamiliale. La seconde langue a surgi alors que l'enfant était en quête d'investissement social. Elle permet de garantir l'ouverture aux autres et s'apparente à une langue plus extérieure au noyau familial ;
- le bilinguisme tardif : correspond à l'introduction d'une nouvelle langue après l'âge de 6 ans. La langue maternelle a déjà atteint un niveau de maîtrise important. Pour que la seconde langue aboutisse rapidement à ce même niveau, il est nécessaire de mener un important effort d'apprentissage.

Quand l'individu parle plus de deux langues de façon courante, on parle alors de « **multilinguisme** ». Les processus d'acquisition des autres langues sont identiques à ceux mis en place dans l'acquisition d'une seconde langue, même si le rythme est accéléré car les stratégies d'apprentissage sont déjà intégrées. En revanche, on ne peut pas prétendre maîtriser de façon identique et avec un même seuil de compétences toutes les langues. L'une ou l'autre des langues sera plus faible car moins sollicitée au quotidien, et c'est cette langue qui est plus fragile dans son maintien.

Catherine Allibert, écrivain et accompagnatrice des enfants expatriés dans le monde de la langue française, témoigne : « Je me rappelle les larmes de frustration de ma fille la première semaine d'école aux USA : "Maman, je ne comprends pas ce que me dit la maîtresse !" J'essuyais ses larmes et la rassurais du mieux que je pouvais. Une semaine plus tard, mêmes larmes, mais pour des raisons différentes : "Maman, je n'arrive pas à dire ce que je veux à la maîtresse !" Une fois de plus, j'essuyais ses larmes, mais lui montrais le chemin parcouru : elle comprenait désormais sa maîtresse. Trois mois plus tard, ma fille faisait son premier exposé complètement en anglais, confiante, devant toute la classe. Cette fois, c'est moi qui pleurais, des larmes de joie. »

Lorsque les parents commencent à délaisser leur langue maternelle, ils contribuent à la perte du bilinguisme de leurs enfants. Le fait de vivre à l'étranger depuis plusieurs années, peut rendre complexe le maintien de l'usage du français dans la famille. Après une période de vie importante dans le pays étranger, où les soucis d'intégration ont parfois plutôt encouragé le maniement de la langue locale, il peut être tentant et plus aisé de ne plus trop utiliser quotidiennement sa langue natale. Or, sans des interactions fréquentes en français, il sera difficile pour l'enfant de maintenir cette langue familiale. L'erreur faite par de nombreux parents est de laisser les enfants répondre dans une autre langue quand eux-mêmes leur parlent en français. L'écoute est alors entretenue, mais pas la pratique orale. Trouver des mots ou construire des phrases devient alors de plus en plus difficile pour les enfants. La question du maintien de la langue maternelle devient encore plus complexe lorsque par exemple l'un des parents a épousé une personne non francophone. Le français sera d'autant plus minoritaire qu'il sera l'usage d'un seul des deux parents, alors que l'autre parent et l'environnement social s'expriment dans une autre langue, voire dans différentes langues.

Pouvoir s'exprimer avec sa langue d'origine permet de mieux accepter son héritage culturel et aussi de davantage développer son identité à multiples facettes. Ne pas y avoir accès peut à l'inverse créer une impression de manque de cohérence interne.

Raphaelle indique : « Je suis française d'origine malgache et italienne. Ma langue maternelle est le français, mes parents ont volontairement fait le choix de ne pas m'apprendre le malgache ni l'italien. Ce choix a eu un impact sur mon rapport à mes origines, je ne me suis jamais sentie profondément malgache ni italienne. »

Un article du *New York Times*[1] présente les résultats de différentes recherches qui concluent que **le bilinguisme rendrait plus intelligent**, ou du moins que le fait de pouvoir jongler naturellement entre

1. www.nytimes.com/2012/03/18/opinion/sunday/the-benefits-of-bilingualism.html?_r=0

différentes langues améliore les aptitudes cognitives de façon générale, voire retarde les risques de démence ou de maladie d'Alzheimer. La récompense des efforts effectués pour l'acquisition d'une langue complexe va en effet au-delà d'un côté purement fonctionnel. Selon Claude Hagège[1] « les bilingues possèdent une malléabilité et une souplesse cognitives supérieures à celles des unilingues. La connaissance d'une deuxième langue permettrait ainsi de développer une intelligence verbale, une formation conceptuelle, un raisonnement global et de stimuler la découverte de règles sous-jacentes à la solution de problèmes ».

En dehors de l'aspect cognitif, **parler une langue plutôt qu'une autre influence aussi la manière de se comporter**. Certains évoquent le fait qu'ils se sentent différents et qu'ils se comportent d'une manière légèrement distincte selon la langue qu'ils parlent. Quand un parent privilégie une langue plutôt qu'une autre pour montrer son autorité ou au contraire de l'empathie, l'enfant associe la langue à l'émotion qu'il a perçue. Parfois aussi, c'est la langue en elle-même qui porte une connotation un peu stéréotypée qui va influencer l'orateur. L'allemand sera par exemple considéré comme une langue rigoureuse, l'italien plus théâtral, l'anglais plus distingué, etc. L'orateur peut alors se sentir plus libre en italien, plus sérieux en allemand ou plus élégant en anglais. La gestuelle peut également changer. Certaines langues latines sont parfois plus démonstratives et plus animées, avec une intonation plus aiguë. Un comportement légèrement plus extraverti peut s'installer, sans pour autant changer la personnalité de l'individu qui l'emploie. Son comportement diffère légèrement, son identité est la même.

1. Claude Hagège, *L'Enfant aux deux langues*, Odile Jacob, 2005.

Maintenir la langue maternelle dans un autre environnement

Le maintien de la langue d'origine au sein de la famille peut devenir un véritable challenge. Voici quelques recommandations.

- ✓ La méthode OPOL (« one-person-one-language ») préconise que chaque parent emploie sa propre langue auprès des enfants. Ces derniers assimileront plus facilement la langue au parent.
- ✓ Préservez l'usage de la langue maternelle avec insistance pour qu'elle reste le langage exclusif entre les membres de la famille, surtout dans la maison.
- ✓ La langue maternelle doit être entretenue par la lecture ou l'écriture afin que le langage parlé ne soit pas la seule reconnaissance linguistique ni l'unique source de stimulation.
- ✓ Des voyages réguliers au pays d'origine permettent de s'ouvrir à d'autres expressions et à d'autres accents, ce qui améliore également l'assimilation de la langue.

La communication virtuelle en expatriation

Les nouvelles formes de communication apparues grâce à Internet comme les réseaux sociaux, les messageries et les logiciels téléphoniques jouent dorénavant un rôle indispensable dans la vie de tout expatrié. Elles procurent une façon nouvelle de maintenir un lien avec ses proches, de créer des contacts, de se connecter avec un monde plus vaste que celui de l'environnement résidentiel et aussi de ne pas se sentir isolé. Les séparations liées au départ ne se font plus que de façon assez relative. Il devient plus facile de franchir la barrière de la distance interindividuelle pour se lier à d'autres où qu'ils soient. L'expatrié, quel que soit son pays de migration, peut exploiter son réseau social grâce aux différents sites relationnels sur

Internet, et ainsi rester connecté à ses proches, et même agrandir son réseau.

Le petit monde

De nombreux chercheurs ont étudié la taille que pouvait avoir un réseau social. Stanley Milgram[1] fut l'un des premiers, en 1974, à décrire la longueur des chaînes de relations que possède un individu vivant dans une société de grande taille, comme les États-Unis. Selon ses études, la distance moyenne qui existe entre deux personnes serait d'environ cinq ou six individus, ce qui signifie que quasiment tous les individus seraient reliés les uns aux autres. C'est ce qu'il nomme « le petit monde » et ses « six degrés de séparation ». Par la suite, d'autres expériences ont montré qu'à l'échelle internationale, il suffit de dix à douze intermédiaires pour relier les individus au niveau de la population mondiale.

Les relations peuvent dorénavant se situer n'importe où dans le monde. Les notions de proche et de lointain ne concernent plus obligatoirement une distance géographique, mais plutôt un degré d'attachement. L'espacement n'est plus un obstacle insurmontable, car dorénavant, avec une liaison numérique, l'individu reste potentiellement accessible n'importe quand, n'importe où, et n'importe comment. Les individus ne doivent plus obligatoirement partager un espace géographique commun pour se retrouver. Grâce à ces nouvelles formes de communication, l'expatrié reste joignable instantanément auprès de tous, annihilant partiellement la distance spatio-temporelle. Partir ne signifie plus être totalement absent et exclu du cercle familial et amical. Le contact perdure malgré l'éloignement géographique. Le migrant peut donner de ses nouvelles bien que localisé à des milliers de kilomètres de son interlocuteur. Il partage

1. Stanley Milgram, *The Individual in a Social World : Essays and experiments*, Pinter & Martin, 2010 (3e édition).

photos et vidéos avec les proches ou bien avec un public plus large. Le contact se fait instantanément. Le rapport au temps change pour prendre une dimension plus immédiate.

Julien, qui écrit un blog, évoque le « paradoxe Skype » : « En étant à l'étranger, on est presque plus en contact avec nos familles qu'on ne l'était en étant en France. La distance a quelque chose de magique, dans le sens où nos proches pensent parfois que nous vivons des aventures fantastiques tous les jours. C'est sûrement vrai au début, au moment de la découverte, mais peu à peu, une certaine routine s'installe. En tout cas, le fait de se voir et de s'entendre, gratuitement qui plus est, c'est aussi cela le miracle de la technologie, cela aide considérablement à combler la distance. Certes, on se voit par écran interposé, mais c'est presque tout aussi vivant que de se voir en vrai. »

« Être là » n'est plus un concept qui se réfère à une présence physique, mais davantage à une disponibilité concernant une interaction possible. Cette relation dans « l'ici et maintenant », rendue possible par les nouvelles technologies, permet de réduire une partie des contraintes de distance de la mobilité internationale.

La séparation entre les espaces proches et lointains n'est plus aussi nette dorénavant ; de même, **la séparation entre les espaces privés et les espaces publics n'est également plus aussi clairement délimitée**. Traditionnellement, on opposait ce qui correspondait à l'espace privé, donc ce qui était de l'ordre de l'intime, à un espace public, porte ouverte vers le monde extérieur. Aujourd'hui, l'extérieur pénètre régulièrement l'espace privé par de nouveaux modes de communication tels que la télévision, le téléphone, la messagerie instantanée ou les courriers électroniques. Les échanges interpersonnels au sein du foyer sont alors modifiés. Le monde extérieur pénètre le monde privé, et, simultanément, le privé se révèle aussi à l'extérieur. L'expatrié a dorénavant différentes possibilités pour dévoiler son cadre de vie et partager son expérience internationale.

Selon Thomas, Internet joue un rôle central pour faciliter l'expatriation : « Je suppose que s'il est plus facile de s'expatrier aujourd'hui par rapport à la génération de nos parents, c'est en partie grâce à internet. On achète un billet d'avion en trois clics, on fait nos démarches administratives via Internet, on reste connecté par les réseaux sociaux, on partage nos aventures tout en étant à distance. Bref, c'est un vrai facilitateur de départ ! »

Les modes de communication virtuels bousculent non seulement les notions de distance, de privé et de public, mais ils mettent également en place **de nouvelles dynamiques sociales autour de la communication, de la connaissance de l'autre, de l'exposition de soi et de la reconnaissance**. Cet espace qui transcende le loin, le proche, le public et le privé correspond en partie à ce que Donald W. Winnicott[1] nomme « l'espace potentiel ». Cet espace est à la jonction entre le monde interne et le monde externe de l'enfant. L'outil de communication virtuelle ressemble à cet objet transitionnel, réunissant les mondes imaginaires et le monde réel. Le smartphone est devenu indispensable. Il s'agit de pouvoir être joignable à tout moment, de pouvoir consulter ses messages aussitôt reçus, de ne pas passer à côté des nouvelles plus ou moins importantes de la « ligne d'actualité » des amis sur Facebook. Vecteur d'informations réelles,

1. Donald W. Winnicott, *Jeu et réalité*, Gallimard, 1975.

le smartphone possède aussi une part fantasmatique qui donne l'illusion d'une présence dans la distance. À l'instar du « doudou », symbole de l'objet transitionnel, le smartphone ne serait-il pas devenu un rempart contre l'angoisse de séparation des plus grands ?

Les expatriés, récemment arrivés dans un pays où ils ne possèdent encore ni de repères ni un tissu relationnel réel, peuvent utiliser **l'outil Internet comme un support à la fois social et pratique.** Des nouveaux contacts peuvent se créer sans avoir à affronter directement une situation plus intimidante de face à face. C'est ce que l'on nomme le « réseautage », c'est-à-dire la possibilité de se mettre en contact avec un individu grâce à ses connaissances intermédiaires. À un niveau plus pratique, grâce aux moteurs de recherche, les lieux et les informations peuvent être examinés depuis le cadre sécurisant du foyer. L'exploration de l'espace local peut être étudiée et anticipée en amont, que ce soit pour des visites ou des démarches administratives. L'expatrié peut se sentir davantage préparé à affronter des lieux méconnus et des démarches complexes.

Marie raconte que depuis qu'elle vit à l'étranger elle ne se déplace plus sans avoir vérifié sur Internet son trajet : « En Chine, je dois trouver les adresses écrites en caractères chinois pour les imprimer et les montrer au chauffeur de taxi. Quand je vivais aux États-Unis, je regardais également toujours sur Internet avant d'aller à un rendez-vous pour être certaine de l'endroit où je devais me rendre. »

Au niveau professionnel, l'accès à Internet permet non seulement de diffuser son savoir et d'acquérir plus de connaissances, grâce aux moteurs de recherche, mais également d'étendre sa recherche d'emploi. Pour le conjoint d'expatrié, lorsque les mutations sont nombreuses et que la poursuite d'une activité salariale est difficile, il est possible de maintenir une stabilité professionnelle à travers la mise en place d'un travail « mobile », comme la création d'une Web entreprise. **Une présence professionnelle virtuelle et internationale permet de développer un travail qui puisse se réaliser n'importe où.** Dans la vie de l'entreprise, on constate une augmentation de l'usage d'un autre type d'outil internet : les téléconférences. Cette pratique diminue les déplacements physiques, ce qui réduit les coûts pour les sociétés et permet aux employés à travers le monde de garder un contact en temps réel. L'expatrié peut aussi garder un contact avec la cellule professionnelle qui l'envoie en mission à l'étranger. Être informé de ce qui se passe dans l'entreprise grâce à une communication intranet, des réunions en vidéo-conférence ou des échanges d'e-mails facilite le retour au pays en fin de mission.

Un risque est néanmoins présent. **Plus l'individu investit les relations avec des personnes géographiquement éloignées ou inconnues, plus il peut se couper des relations de proximité.** Surinvestis, la communication virtuelle peut freiner l'intégration si l'individu s'y réfugie comme dans une bulle qui l'exclut de son environnement réel. Certains s'installent dans la nostalgie de leur ancienne vie, en maintenant à travers les réseaux sociaux une présence quasiment exclusive auprès des proches restés au pays. Un maintien excessif des relations antérieures se traduit par une vie par procuration en décalage. Une confusion existentielle peut apparaître de ce clivage, avec idéalisation des relations virtuelles et évitement des contacts plus réels et directs. L'observation des facettes de vie exposées dans les réseaux sociaux peut renvoyer à un sentiment de frustration et un ressentiment chez ceux qui en sont témoins. Un sentiment d'isolement encore plus important peut en résulter chez un migrant qui vit mal son expatriation.

Selon Julien : « Internet est une aide, un portail indispensable, mais dans lequel il peut aussi être facile de se perdre. Autant il est utile de se renseigner sur les sites officiels, de prendre des contacts ou de se préparer au départ, autant il peut être dangereux de tomber sur des récits d'expériences anxiogènes d'anciens expatriés pouvant troubler la période de préparation et d'installation. Pour une personne qui vit une expatriation forcée, comme certains conjoints par exemple, les dangers sont réels car elle risque de se complaire dans les récits et les partages d'expériences négatives sans pouvoir avoir le recul d'analyser sa propre situation. »

La plupart du temps, le choc des séparations est surtout atténué par le maintien des contacts et une certaine continuité dans le changement est préservée. La possibilité d'entretenir des contacts avec des proches provenant de différentes régions du monde répond également au kaléidoscope relationnel multiculturel propre à chaque migrant. En parcourant le monde, l'expatrié s'est lié d'amitié avec tout un réseau social international. Les réseaux sociaux répondent en écho à cette diversité relationnelle qui est devenue une part de leur identité personnelle.

La communication en expatriation, qu'elle soit directe, objective ou virtuelle, participe activement à la vie des migrants contemporains. En fonction du degré d'investissement et de l'usage qui en est fait, elle favorise les contacts et l'intégration sociale. Apprendre les nuances culturelles du pays, s'initier à la langue locale, interagir avec les locaux et les autres migrants, utiliser Internet comme support d'information et de socialisation, tout cela est devenu indispensable pour l'expatrié des temps modernes.

On fait le point...

1. Avez-vous maintenu des relations avec vos amis restés au pays ?
2. Avez-vous reconstitué un réseau amical dans le pays d'accueil ?
3. Comment avez-vous géré l'isolement ?
4. Quelles sont les différences dans la communication que vous avez perçues entre votre culture d'origine et la culture du pays d'accueil ?
5. Comment avez-vous géré les incompréhensions dans la relation avec les locaux ?
6. Quelle place a ou a eu Internet et les nouvelles technologies dans votre expatriation ?

Conclusion

La mobilité internationale est une réalité du monde contemporain en plein essor. Pour les familles, les nombreux avantages de l'expatriation se mesurent dans la richesse des expériences, dans l'apprentissage de nouvelles langues et dans les façons nouvelles et différentes d'appréhender la vie. Professionnellement, la mobilité peut être un tremplin pour la carrière ou bien l'occasion de se réorienter et d'oser d'autres parcours. Personnellement, c'est découvrir de nouveaux pays et de nouvelles cultures. Comprendre les implications psychologiques de la mobilité internationale permet de mieux être armé pour faire face aux défis qui y sont liés.

L'expatriation est un véritable développement personnel qui se traduit par un changement externe du cadre de vie combiné à un changement interne d'évolution de soi. Il s'agit d'éclaircir ce qui se joue vraiment pour chacun d'entre nous. Le migrant se reconnecte avec ses ressources personnelles, tout en subissant l'impact de variables modifiant sa disponibilité, comme les émotions, l'estime de soi, la pleine conscience ou les saboteurs. Il s'ajuste au monde extérieur à travers ses aptitudes à communiquer, à s'adapter, à être empathique et résilient. Cette capacité particulière de retour sur soi et d'ouverture aux autres et au nouvel environnement correspond au développement de l'intelligence nomade.

Dès lors, il s'agit de mettre en place des facteurs d'ajustement interne et externe. Cela passe par la redéfinition de son projet, la mise en évidence de ses talents, la mise en perspective de ses besoins, la prise en compte de ses envies et la mise en lumière de ses motivations. Il est également nécessaire d'apprendre à gérer ses peurs, ses doutes ou ses freins, et de mettre en avant des stratégies d'adaptation qui passent par une meilleure connaissance de la communication verbale, non verbale ou virtuelle, un ajustement à l'environnement, une ouverture aux autres et une résistance à la pression par une meilleure prise de recul sur les événements.

S'expatrier, c'est un travail qui commence en amont en définissant un projet pour soi, en découvrant la culture où l'on s'installe et en se donnant des objectifs personnels et familiaux fédérateurs. Au-delà de l'aide reçue par les entreprises, le plus souvent logistique et concentrée sur l'installation, le migrant et sa famille doivent se préparer à un choc culturel qui a lieu bien souvent quelques mois plus tard. Un accompagnement individuel dans un second temps est alors bénéfique.

Loin d'une vision idéalisée et souvent stéréotypée, l'expatriation est une épreuve personnelle complexe qui touche aussi bien l'identité, les ressources internes ou les relations sociales et familiales. C'est un voyage aussi bien physique que psychique dont on ne revient pas inchangé, mais bien souvent grandi. L'expatriation est alors une formidable opportunité de renouveau personnel. Elle permet d'aller au-delà du connu, du prévu et du restreint pour se réinventer, pour s'ouvrir à de nouvelles cultures et pour se découvrir soi-même.

Bibliographie

ALLENDE Isabel, *Mon pays réinventé*, Le Livre de poche, 2003.

ATTALI Jacques, *L'Homme nomade*, Le Livre de poche, 2003.

BACQUÉ Marie-Frédérique, *Apprivoiser la mort*, Odile Jacob, 2003.

BRIDGES William, *Transitions de vie*, InterÉditions, 2006.

CERDIN Jean-Luc, *L'Expatriation*, Editions d'Organisation, 2002.

CERDIN Jean-Luc, *S'expatrier en toute connaissance de cause*, Eyrolles, 2007.

DOLTO Françoise, DOLTO Catherine et PERCHEMINIER Colette, *Paroles pour adolescents ou le Complexe du homard*, Folio Junior, 2007.

ERIKSON Erik, *Adolescence et crise. La quête de l'identité*, Flammarion, 1993.

FAURÉ Christophe, *Maintenant ou jamais !*, Albin Michel, 2011.

FERNANDES Bernard, *Identité nomade*, Anthropos, 2002.

FOUQUOIRE Bertrand - Dualexpat (www.lepetitjournal.com-Singapour) lundi 8 novembre 2010.

GOLEMAN Daniel, *L'Intelligence émotionnelle*, J'ai Lu, 1997.

GOLEMAN Daniel, *L'Intelligence émotionnelle 2*, Robert Laffont 1999.

GOUTAIN Gaëlle et RUSSELL Adélaïde, *Conjoint expatrié, réussissez votre séjour à l'étranger*, L'Harmattan, 2011.

GOUTAIN Gaëlle ET RUSSELL Adélaïde, *L'Enfant expatrié*, L'Harmattan, 2009.

GRINBERG Leo et Rebecca, *Migration and Exile,* Yale University Press 1989.

GYLBERT Cécile, *Les Enfants expatriés : enfants de la troisième culture*, Les Editions du Net, 2014.

HAGÈGE Claude, *L'Enfant aux deux langues*, Odile Jacob, 2005.

IYER Pico, *L'Homme global*, Hoëbeke, 2006.

LACROIX Michel, *Se réaliser*, Robert Laffont, 2009.

LEGENDRE Claire, *Vérité et amour*, Grasset, 2013.

MADISON Greg A. *The End of Belonging*, CreateSpace Independent Publishing Platform, 2009.

MILGRAM Stanley, *The Individual in a Social World : Essays and experiments*, Pinter & Martin, 2010 (3e édition).

MORO Marie Rose, *Nos enfants demain*, Odile Jacob, 2010.

PINK Daniel H., *La Vérité sur ce qui nous motive*, Leduc.S Éditions, 2011

POLLOCK David C. et VAN REKEN Ruth E., *Third Culture Kids*, Nicholas Brealey America, 1999.

ROSINSKI Philippe, *Le Coaching interculturel*, Dunod, 2009.

SACKS Oliver, *L'Homme qui prenait sa femme pour un chapeau*, Le Seuil, 1992.

SCHEIN Edgar H., *Career Anchors : Discovering Your Real Values*, Pfeiffer & Company, 1990.

STORTI Craig, *The Art of Coming Home*, Intercultural Press, 2003.

STRAUSS William et HOWE Neil, *The Fourth Turning*, Broadways Book, 1997.

TAGUIEFF Pierre-André, *Résister au bougisme*, Mille et Une Nuits, 2001.

TALLEUX Stéphanie et FOUCQUOIRE Bertrand, *Réussir ma première expatriation*, Studyrama, 2013.

TISSERON Serge, *Virtuel, mon amour*, Albin Michel, 2008.

WAGNER Anne-Catherine, *Les nouvelles élites de la mondialisation*, PUF, 1998.

WERTHER Lucie, *Journal d'une Française en Arabie Saoudite*, Plon, 2005.

WHILTE Kenneth, *L'Esprit nomade*, Le Livre de poche, 1987.

WINNICOTT Donald W., *Jeu et réalité*, Gallimard, 1975.

Expatriés, votre vie nous intéresse..., Mondissimo, 2013.

Panorama de l'expatriation au féminin, Expat Communication, 2011 ; téléchargeable sur le lien suivant : http://www.relocation-france.org/fichiers/ts_contenu/etude_panorama_expat_feminin.pdf

Sur le Net

www.pwc.com/en_GX/gx/managing-tomorrows-people/future-of-work/pdf/pwc-talent-mobility-2020.pdf

www.sarahcontephilly.com

www.eutelmed.com

http://centremagellan.univ-lyon3.fr/fr/articles/88_455.pdf

http://www.fromside2side.com/

www.femmexpat.com/wp-content/uploads/2013/01/Etude_panorama_expat_feminin.pdf

ttp://www.figt.org/

www.mondissimo.com/pdf/Resultats_etude_def_2013.pdf

www.brookfieldgrs.com/knowledge/grts_research/grts_media/2012_GRTS.pdf

www.magellan-network.com/

http://femmesdechallenges.com/

www.fromside2side.com/2014/02/les-amities-en-expatriation.html

http://centremagellan.univ-lyon3.fr/fr/articles/88_455.pdf

www.frenchfriesandapplepie.com/

www.unehistoiredeninjasetdesamourais.com

www.nytimes.com/2012/03/18/opinion/sunday/the-benefits-of-bilingualism.html?_r=0

http://write-travel-enjoy.com

www.writerforever.com

Pour plus d'informations, vous pouvez consulter le site www.intelligence-nomade.com et suivre la page Facebook : www.facebook.com/Openthebox1

Table des encadrés

Table des conseils de coach

Index

N

O

P

R

S

T

V

Maquette et mise en page : Florian Hue

Achevé d'imprimer en août 2015 sur rotative numérique Prosper
par Soregraph à Nanterre (Hauts-de-Seine).

Dépôt légal : août 2015
N° d'impression : 14692

Imprimé en France